Zuzana Palovic Gabriela Bereghazyova David Keys

50 SLOVÁKOV, KTORÍ ZMENILI SVET

50 SLOVAKS WHO CHANGED THE WORLD

ČESKÁ REPUBLIKA/
CZECH REPUBLIC
RAKÚSKO / AUSTRIA
1 5 8 12 16 49
ŽILINA
50
BYTČA
47
9
25
POVAŽSKÁ
BYSTRICA
39
MARTIN
26
TRENČÍN
17
30
NOVÉ MESTO
NAD VÁHOM
18
20
44
33
21
19
40
PRIEVIDZA
BANSKÁ
BYSTRICA
32
38
BREZNO
31
PARTIZÁNSKE
15
TOPOĽČANY
ŽIAR NAD
HRONOM
ZVOLEN
43
7
27
PIEŠŤANY
MALACKY
6
29
PEZINOK
TRNAVA
41
SEREĎ
NITRA
4
KRUPINA
BRATISLAVA
2 · 14
22 · 34 · 36
45 · 46
10
LEVICE
48
VEĽKÝ
KRTÍŠ
ŠAĽA
NOVÉ ZÁMKY
11
KOLÁROVO
KOMÁRNO

POĽSKO/
POLAND

MAĎARSKO/
HUNGARY

TÁTO KNIHA PATRÍ
THIS BOOK BELONGS TO

____

____

LEGENDA

LEGEND

1. SVÄTOPLUK ???
2. ŠŤASTNÍ BRATIA / BROTHERS BRATISLAVA
3. MAJSTER PAVOL LEVOČA
4. ŠTEFAN KLEIN NITRA
5. JÁN JESSENIUS WROCŁAW, POLAND
6. ŠTEFAN BANIČ SMOLENICE
7. MATEJ BEL OČOVÁ
8. MILAN ŠIMEČKA NOVÝ BOHUMÍN, ČESKO
9. JURAJ JÁNOŠÍK TERCHOVÁ
10. JÁN POPLUHÁR BERNOLÁKOVO
11. ANDREJ HADÍK ŽITNÝ OSTROV
12. JÁN GOLIAN DOMBÓVÁR, MAĎARSKO / HUNGARY
13. PANNA CINKA GEMER
14. EDITA GRUBEROVÁ RAČA
15. MÓRIC BEŇOVSKÝ VRBOVÉ
16. EUGENE ČERNAN CHICAGO, USA
17. JÁN KOLLÁR MOŠOVCE
18. TOMÁŠ MASARYK SKALICA
19. ĽUDOVÍT ŠTÚR UHROVEC
20. ANTON SRHOLEC SKALICA
21. ANNA JURKOVIČOVÁ NOVÉ MESTO NAD VÁHOM
22. ADELA VINCZEOVÁ BRATISLAVA
23. PAVOL DOBŠINSKÝ SLAVOŠOVCE
24. MARTIN MARTINČEK LIPTOVSKÝ PETER
25. PAVOL ORSZÁGH HVIEZDOSLAV VYŠNÝ KUBÍN
26. PAVOL DEMITRA DUBNICA NAD VÁHOM
27. TERÉZIA ZUZANA VANSOVÁ ZVOLENSKÁ SLATINA
28. MARIKA GOMBITOVÁ TURANY NAD ONDAVOU
29. MÁRIA HENRIETA CHOTEKOVÁ DOLNÁ KRUPÁ
30. EMÍLIA VÁŠÁRYOVÁ HORNÁ ŠTUBŇA
31. MILAN RASTISLAV ŠTEFÁNIK KOŠARISKÁ
32. LADISLAV HUDEC BANSKÁ BYSTRICA
33. DUŠAN JURKOVIČ TURÁ LÚKA
34. ZUZANA ČAPUTOVÁ BRATISLAVA
35. MICHAL BOSÁK OKRÚHLE
36. ANTON ZAJAC BRATISLAVA
37. VLADIMÍR CLEMENTIS TISOVEC
38. MAREK HAMŠÍK BANSKÁ BYSTRICA
39. JOZEF GABČÍK RAJECKÉ TEPLICE
40. ALEXANDER DUBČEK UHROVEC
41. GERTA VRBOVÁ TRNAVA
42. PETRA VLHOVÁ LIPTOVSKÝ MIKULÁŠ
43. VLADIMÍR MEČIAR ZVOLEN
44. ĽUDMILA PAJDUŠÁKOVÁ RADOŠOVCE
45. MICHAELA MUSILOVÁ BRATISLAVA
46. GUSTÁV HUSÁK BRATISLAVA
47. JÁN KUCIAK ŠTIAVNIK
48. LADISLAV BIELIK LEVICE
49. ANASTASIA KUZMINA TYUMEN, SOVIET UNION
50. PETER SAGAN ŽILINA

SUPER SLOVÁCI
SUPER SLOVAKS

50 SLOVÁKOV, KTORÍ ZMENILI SVET
50 SLOVAKS WHO CHANGED THE WORLD

Zuzana Palovic   Gabriela Bereghazyova   David Keys

EDITORI (ANGLICKÝ JAZYK) SARAH KEYS & NAOMI HUŽOVIČOVÁ
EDITOR (SLOVENSKÝ JAZYK): JANA SPEVÁKOVÁ
GRAFICKÁ ÚPRAVA: MÁRIA ŠKULTÉTY
OBÁLKA KNIHY: MÁRIA ŠKULTÉTY & KLÁRA ŠTEFANOVIČOVÁ

V SR VYDALO VYDAVATEĽSTVO GLOBAL SLOVAKIA V SPOLUPRÁCI S VYDAVATEĽSTVOM EZOPO
TLAČ: POLYGRAFICKÉ CENTRUM, www.polygrafcentrum.sk
MEDZINÁRODNÉ VYDANIE HYBRID GLOBAL PUBLISHING
301 E 57TH STREET, 4TH FL, NEW YORK,
NY 10022 USA

2. VYDANIE

VYTLAČENÉ V SLOVENSKEJ REPUBLIKE PRE SLOVENSKÝ TRH, V USA A VEĽKEJ BRITÁNII PRE MEDZINÁRODNÝ TRH.

ISBN 978-1-957013-14-5

KATALÓG KONGRESOVEJ KNIŽNICE
PRÍSTUP NA POŽIADANIE

WWW.GLOBALSLOVAKIA.COM

COPY EDITOR (ENG): SARAH KEYS & NAOMI HUZOVICOVA
COPY EDITOR (SK): JANA SPEVAKOVA
BOOK GRAPHIC DESIGN: MARIA SKULTETY
FRONT AND BACK COVER DESIGN: MARIA SKULTETY & KLARA STEFANOVICOVA

SECOND EDITION
GLOBAL SLOVAKIA & EZOPO, 2022

PRINTED BY POLYGRAFICKÉ CENTRUM, www.polygrafcentrum.sk

PUBLISHED IN INTERNATIONALLY BY HYBRID GLOBAL PUBLISHING
301 E 57TH STREET, 4TH FL, NEW YORK,
NY 10022 USA

ISBN 978-1-957013-14-5

LIBRARY OF CONGRESS CATALOGING-IN-PUBLICATION DATA
AVAILABLE UPON REQUEST

WWW.GLOBALSLOVAKIA.COM

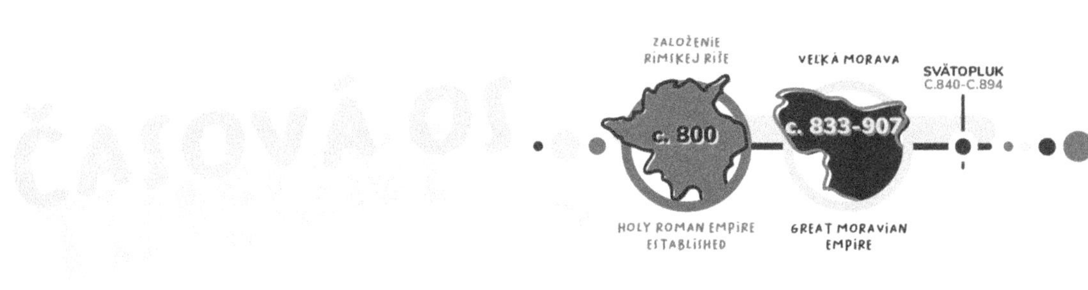
ZALOŽENIE RÍMSKEJ RÍŠE
c. 800
HOLY ROMAN EMPIRE ESTABLISHED
VEĽKÁ MORAVA
c. 833-907
GREAT MORAVIAN EMPIRE
SVÄTOPLUK
C.840-C.894

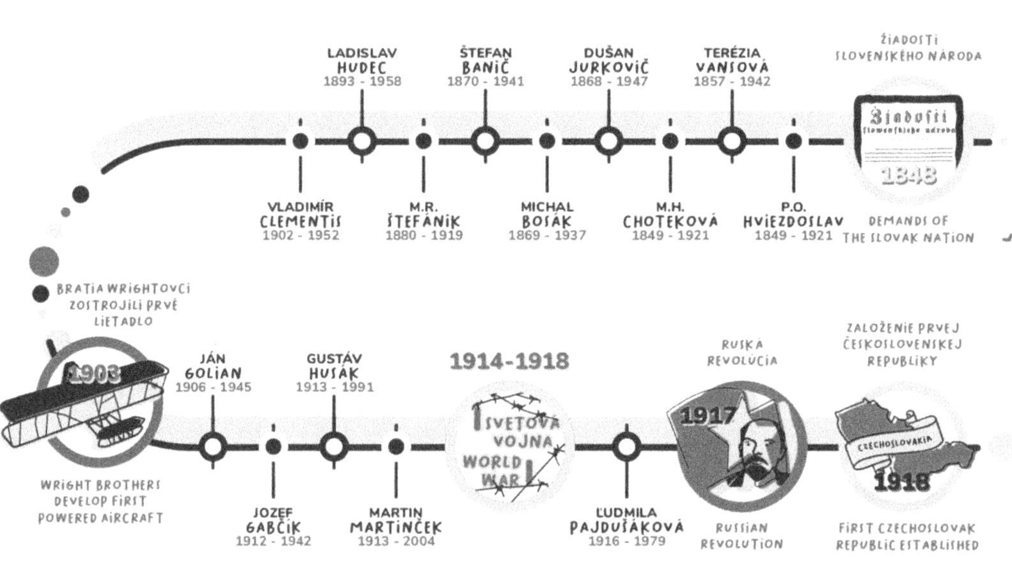
LADISLAV HUDEC
1893 - 1958
ŠTEFAN BANIČ
1870 - 1941
DUŠAN JURKOVIČ
1868 - 1947
TERÉZIA VANSOVÁ
1857 - 1942
ŽIADOSTI SLOVENSKÉHO NÁRODA
1848
DEMANDS OF THE SLOVAK NATION
VLADIMÍR CLEMENTIS
1902 - 1952
M.R. ŠTEFÁNIK
1880 - 1919
MICHAL BOSÁK
1869 - 1937
M.H. CHOTEKOVÁ
1849 - 1921
P.O. HVIEZDOSLAV
1849 - 1921
BRATIA WRIGHTOVCI ZOSTROJILI PRVÉ LIETADLO
1903
WRIGHT BROTHERS DEVELOP FIRST POWERED AIRCRAFT
JÁN GOLIAN
1906 - 1945
GUSTÁV HUSÁK
1913 - 1991
1914-1918
SVETOVÁ VOJNA
WORLD WAR I
RUSKÁ REVOLÚCIA
1917
RUSSIAN REVOLUTION
ZALOŽENIE PRVEJ ČESKOSLOVENSKEJ REPUBLIKY
CZECHOSLOVAKIA
1918
FIRST CZECHOSLOVAK REPUBLIC ESTABLISHED
JOZEF GABČÍK
1912 - 1942
MARTIN MARTINČEK
1913 - 2004
ĽUDMILA PAJDUŠÁKOVÁ
1916 - 1979

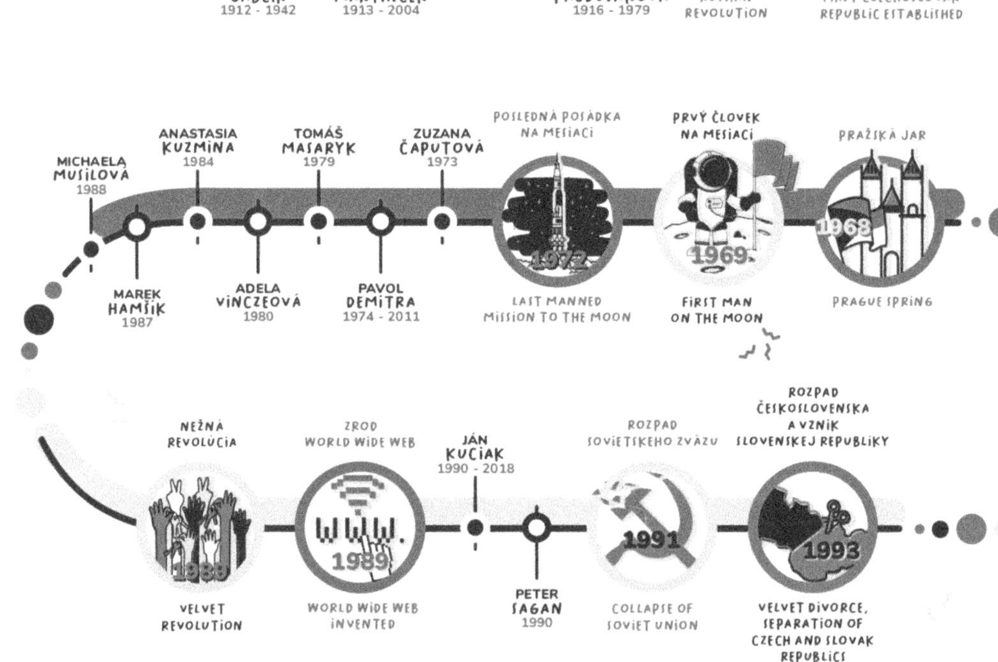
MICHAELA MUSILOVÁ
1988
ANASTASIA KUZMINA
1984
TOMÁŠ MASARYK
1979
ZUZANA ČAPUTOVÁ
1973
POSLEDNÁ POSÁDKA NA MESIACI
1972
LAST MANNED MISSION TO THE MOON
PRVÝ ČLOVEK NA MESIACI
1969
FIRST MAN ON THE MOON
PRAŽSKÁ JAR
1968
PRAGUE SPRING
MAREK HAMŠÍK
1987
ADELA VINCZEOVÁ
1980
PAVOL DEMITRA
1974 - 2011
NEŽNÁ REVOLÚCIA
1989
VELVET REVOLUTION
ZROD WORLD WIDE WEB
WWW.
1989
WORLD WIDE WEB INVENTED
JÁN KUCIAK
1990 - 2018
PETER SAGAN
1990
ROZPAD SOVIETSKEHO ZVÄZU
1991
COLLAPSE OF SOVIET UNION
ROZPAD ČESKOSLOVENSKA A VZNIK SLOVENSKEJ REPUBLIKY
1993
VELVET DIVORCE, SEPARATION OF CZECH AND SLOVAK REPUBLICS

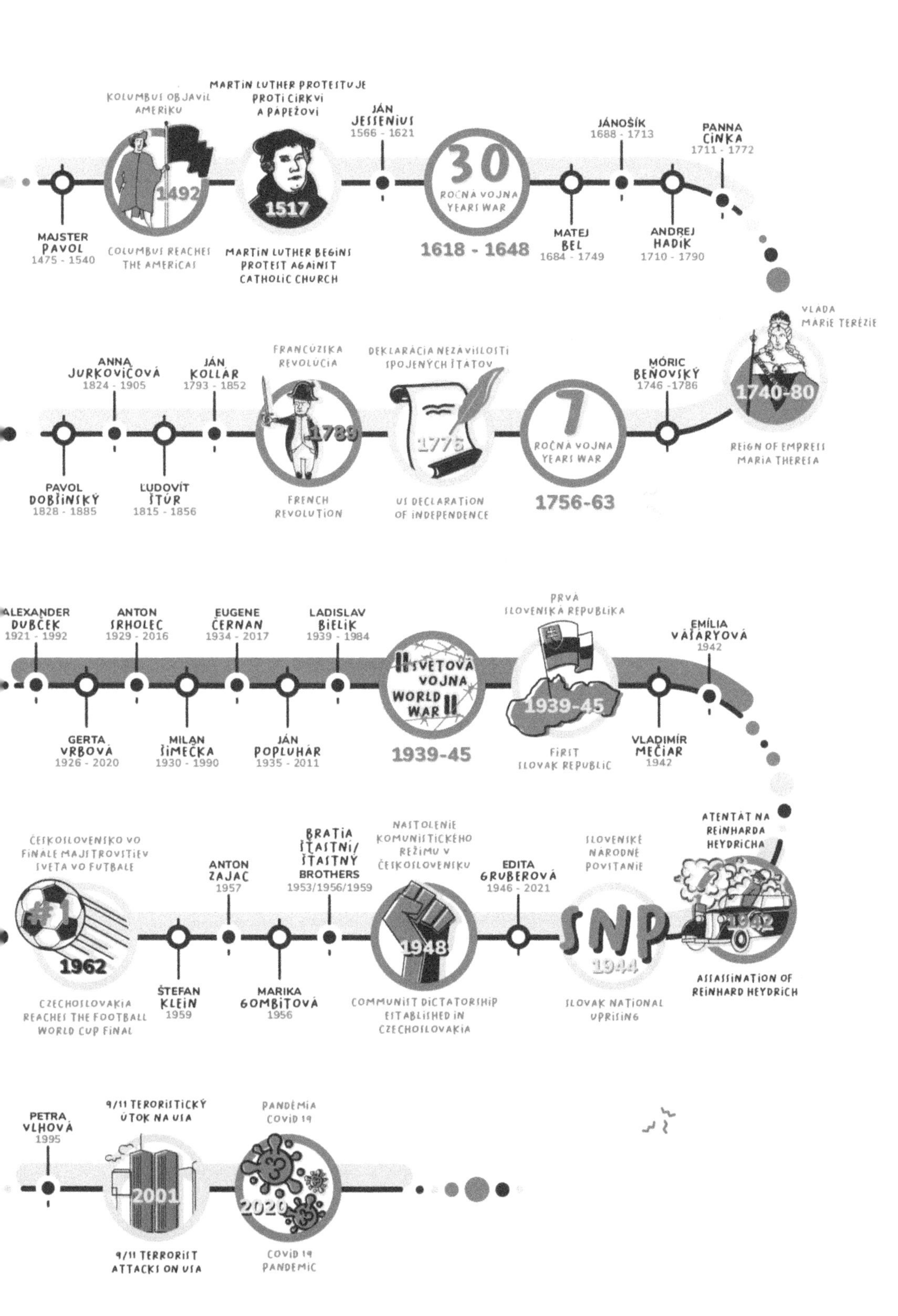
MAJSTER PAVOL
1475 - 1540
KOLUMBUS OBJAVIL AMERIKU
1492
COLUMBUS REACHES THE AMERICAS
MARTIN LUTHER PROTESTUJE PROTI CIRKVI A PÁPEŽOVI
1517
MARTIN LUTHER BEGINS PROTEST AGAINST CATHOLIC CHURCH
JÁN JESSENIUS
1566 - 1621
30
ROČNÁ VOJNA
YEARS WAR
1618 - 1648
MATEJ BEL
1684 - 1749
JÁNOŠÍK
1688 - 1713
ANDREJ HADÍK
1710 - 1790
PANNA CINKA
1711 - 1772
VLÁDA MÁRIE TERÉZIE
1740-80
REIGN OF EMPRESS MARIA THERESA
MÓRIC BEŇOVSKÝ
1746 -1786
7
ROČNÁ VOJNA
YEARS WAR
1756-63
DEKLARÁCIA NEZÁVISLOSTI SPOJENÝCH ŠTÁTOV
1776
US DECLARATION OF INDEPENDENCE
FRANCÚZSKA REVOLÚCIA
1789
FRENCH REVOLUTION
JÁN KOLLÁR
1793 - 1852
ĽUDOVÍT ŠTÚR
1815 - 1856
ANNA JURKOVIČOVÁ
1824 - 1905
PAVOL DOBŠINSKÝ
1828 - 1885
ALEXANDER DUBČEK
1921 - 1992
GERTA VRBOVÁ
1926 - 2020
ANTON SRHOLEC
1929 - 2016
MILAN ŠIMEČKA
1930 - 1990
EUGENE ČERNAN
1934 - 2017
JÁN POPLUHÁR
1935 - 2011
LADISLAV BIELIK
1939 - 1984
II SVETOVÁ VOJNA
WORLD WAR II
1939-45
PRVÁ SLOVENSKÁ REPUBLIKA
1939-45
FIRST SLOVAK REPUBLIC
VLADIMÍR MEČIAR
1942
EMÍLIA VÁŠARYOVÁ
1942
ATENTÁT NA REINHARDA HEYDRICHA
1942
ASSASSINATION OF REINHARD HEYDRICH
SLOVENSKÉ NÁRODNÉ POVSTANIE
SNP
1944
SLOVAK NATIONAL UPRISING
EDITA GRUBEROVÁ
1946 - 2021
NASTOLENIE KOMUNISTICKÉHO REŽIMU V ČESKOSLOVENSKU
1948
COMMUNIST DICTATORSHIP ESTABLISHED IN CZECHOSLOVAKIA
BRATIA ŠŤASTNÍ/ŠŤASTNÝ BROTHERS
1953/1956/1959
MARIKA GOMBITOVÁ
1956
ANTON ZAJAC
1957
ŠTEFAN KLEIN
1959
ČESKOSLOVENSKO VO FINÁLE MAJSTROVSTIEV SVETA VO FUTBALE
1962
CZECHOSLOVAKIA REACHES THE FOOTBALL WORLD CUP FINAL
PETRA VLHOVÁ
1995
9/11 TERORISTICKÝ ÚTOK NA USA
2001
9/11 TERRORIST ATTACKS ON USA
PANDÉMIA COVID 19
2020
COVID 19 PANDEMIC

CONTENTS

OBSAH

na ÚVOD

Kto sú to „Super Slováci"? Aké nezvyčajné skutky z nich spravili superhrdinov Slovenska?

V tejto knihe nájdeš inšpiratívne príbehy „Super Slovákov", ktoré siahajú tisíc rokov do minulosti, do čias záhadného prvého slovanského štátu na svete – Veľkej Moravy a do vlády múdreho kráľa Svätopluka. Nájdeš v nej aj Slovákov, ktorí žijú v súčasnosti. Jednou takou hrdinkou je aj Zuzana Čaputová, ochrankyňa životného prostredia, z ktorej sa stala prvá prezidentka v dejinách Slovenska.

Prinášame aj príbehy odvážnych Slovákov, akými bol Jozef Gabčík či Gerta Vrbová, tvorivých Slovákov ako Anna Jurkovičová a Majster Pavol z Levoče, slovenských vedcov ako Michaela Musilová a Štefan Klein. Niektorí sú známi, iní nie. Určite poznáš Juraja Jánošíka, ale vieš kto bola Panna Cinka?

Nájdeš tu ale aj príbehy ľudí, ktorí sa správali tak zle, že si možno nezaslúžia, aby sme ich nazývali „Super Slovákmi". Každý životopis sa končí otázkou, vďaka ktorej sa môžeš s kamarátmi či rodičmi zamyslieť nad tým, čo si sa dočítal.

Túto knihu napísal tím Slovákov a medzinárodných autorov, ktorí preskúmali kultúru Slovenska zvnútra i zvonku. Príbehy výnimočných Slovákov si môžeš prečítať v angličtine a v slovenčine a to preto, lebo bohaté dedičstvo Slovenska si zaslúži, aby ho poznali doma aj v zahraničí.

Kniha ti pomôže zdokonaliť svoje jazykové schopnosti. Dozvieš sa veľa o výnimočných Slovákoch minulosti i súčasnosti, a zároveň si precvičíš svoju angličtinu alebo slovenčinu.

Príbehy výnimočných Slovákov nám pripomínajú našu dávnu a obdivuhodnú históriu. Je toho toľko, na čo môžeme byť hrdí a čo možno právom oslavovať. Slovensko je skutočne výnimočná krajina a Slováci sú talentovaní, odvážni i vynaliezaví ľudia. Táto kniha potvrdzuje fakt, že či už človek pochádza z malej alebo veľkej krajiny, vždy má možnosť zmeniť svet k lepšiemu.

INTRODUCTION

Who are Super Slovaks? What extraordinary things have they achieved to become the superheroes of Slovakia?

In this book, you will find inspirational stories of Super Slovaks from as far back as the mysterious Great Moravia, the first Slavic state in the world ruled by wise King Svätopluk over one thousand years ago, right up to the dynamic present day with Zuzana Čaputová, the environmental activist turned first female President of Slovakia.

We bring you stories of brave Slovaks like Jozef Gabčík and Gerta Vrbová, of creative Slovaks like Anna Jurkovičová and Master Pavol of Levoča, and of scientific Slovaks like Michaela Musilová and Stefan Klein. Some of the Super Slovaks are well known, such as the bandit Juraj Jánošík, and some are not. Have you ever heard of the gifted musician Panna Cinka?

There are also stories of those who behaved so badly that you might not think they are very 'super'. Each biography is followed by a question for you to think about and explore with friends or parents.

This book has been written by a team of Slovak and international authors who explore Slovak culture from the inside-out and outside-in. The stories are both in Slovak and English so that Slovakia's heritage can be celebrated in Slovakia and around the world.

The bilingual text also makes the book a great tool to enhance your Slovak or English at the same time as learning about the greatest Slovaks of the past and present.

The stories of exceptional Slovaks remind us of our long and dramatic history. There is so much to be proud of and to celebrate – Slovakia truly is a remarkable country and Slovaks are a talented, courageous and inventive people. This book proves that whether you come from a big or small country, you too can change the world for the better.

SUPER SLOVÁCI

SLOVAKS

50 SLOVÁKOV, KTORÍ ZMENILI SVET

50 SLOVAKS WHO CHANGED THE WORLD

...ZMENIL SVET TÝM, ŽE DOBRE PANOVAL PRVÉMU SLOVANSKÉMU ŠTÁTU V EURÓPE

...CHANGED THE WORLD BY ESTABLISHING THE FIRST SLAVIC STATE IN CENTRAL EUROPE

✶ ??? / C. 840 - 894

Svätopluk kedysi vládol Veľkej Morave, mocnej ríši, ktorá bola prvým slovanským štátom v strednej Európe. Svätopluk a jeho kráľovstvo patria do tej časti histórie, ktorú nazývame „obdobím temna", pretože o nej vieme veľmi málo. Obdobie temna je ako skladačka, v ktorej chýba veľa kúskov. Zrúcaniny hradov, zopár listín a každodenných predmetov či mincí, ktoré sa z tých čias zachovali, nám napomáhajú spoznať, kto Svätopluk bol a ako vládol.

Pozostatky osídlenia, ktoré archeológovia našli na západnom Slovensku v obci Ducové, sú spomienkou na to, aká bola Veľká Morava kedysi mocná. Dômyselne prepracované nástroje a jemné šperky sú dôkazom vyspelej kultúry. Existujú aj listy a dokumenty z 9. storočia, ktoré potvrdzujú, že Svätopluk vládol veľkej krajine siahajúcej od súčasného Poľska až po Maďarsko. Územie dnešného Slovenska bolo súčasťou Veľkej Moravy, a tak Svätopluka niekedy nazývame „kráľom starých Slovákov".

K Svätoplukovi sa viaže známa povesť, ktorá sa už dlho traduje z pokolenia na pokolenie.

V roku 894, keď bol Svätopluk na smrteľnej posteli, dal si zavolať svojich troch synov a zviazal dokopy tri prúty. Zväzok podal synom a povedal im, aby ho zlomili. Všetci traja to skúsili, ale hoci sa akokoľvek snažili, prúty zlomiť nedokázali.

Svätopluk potom prúty rozviazal a každému synovi dal jeden. Znova im povedal, aby ich skúsili zlomiť a tentokrát sa im to poľahky podarilo. Svätopluk vo svojej múdrosti synom vysvetlil, že ak má kráľovstvo odolať nepriateľom, musia držať pokope. „*Spolu ste silní, ale ak sa rozdelíte, protivník vás ľahko porazí.*"

Mladí muži, bohužiaľ, otca neposlúchli a Veľkú Moravu zastihli ťažké časy. Traja bratia sa neustále hádali a intrigovali namiesto toho, aby si navzájom pomáhali. Ich spor oslabil kráľovstvo, ktoré napokon podľahlo nájazdom nepriateľov a vymizlo z mapy. Územie Slovenska sa stalo súčasťou Uhorska.

SKÚS SPLNIŤ ÚLOHU, KTORÚ DAL SVÄTOPLUK SVOJIM SYNOM. ZVIAŽ DOKOPY TRI KONÁRE A SKÚS ICH ZLOMIŤ. AK SA TI TO NEPODARÍ, ROZVIAŽ ICH A POKÚS SA ZLOMIŤ KAŽDÝ KONÁR SAMOSTATNE.
AKÉ POUČENIE VYPLÝVA Z TAKEJTO ÚLOHY?

LUCIA GREJTÁKOVÁ

Svätopluk once ruled over Great Moravia, which was the first large Slavic state in Central Europe. Svätopluk and his kingdom belong to a period of history which is known as the Dark Ages because we know so little about it. The history of the Dark Ages is like a puzzle with many pieces missing. We only have a few castle ruins, a handful of documents and some everyday objects like coins to help us understand who this man was and how he ruled.

The castle remains at sites such as Ducové in western Slovakia show us that Svätopluk's Great Moravian Empire was once a powerful state. Archaeologists have discovered finely crafted tools and jewellery which reveal a sophisticated culture. There are also letters and documents from the 9th century which prove that Svätopluk reigned over a huge territory stretching from Poland to Hungary. This empire also included much of modern day Slovakia and so Svätopluk is sometimes called a „Slovak King".

There is one famous legend about Svätopluk, which has been passed down through generations.

In the year 894, Svätopluk called his three sons to him as he lay on his deathbed. He tied together three sticks of wood, handed them to his sons and asked them to break the bundle. Each of the boys in turn took the sticks and tried to break them but, no matter how hard they tried, they could not.

Svätopluk then separated the three sticks and gave one to each boy. Again, he told them to try to break the sticks and this time they snapped easily. There was great wisdom in this lesson. Svätopluk knew that if the kingdom was to survive and defeat its many enemies, it had to be united. So he said to his sons, *„If you stay together you will be strong but if you are divided, your enemies will destroy you."*

Sadly, the young men did not learn the lesson and difficult times befell Great Moravia. They argued and competed instead of supporting each other. This made the kingdom weak and eventually it was taken over by its adversaries and wiped off the map. Eventually, the people and the land became a part of the Kingdom of Hungary.

YOU CAN TRY SVÄTOPLUK'S CHALLENGE FOR YOURSELF. JUST TIE THREE STICKS TOGETHER AND TRY TO BREAK THEM. IF YOU CAN'T BREAK THEM TOGETHER, TRY TO BREAK THEM SEPARATELY.
WHAT DOES THIS MEAN?

...ZMENILI SVET SILOU JEDNOTY

...HAVE CHANGED THE WORLD BY SHOWING THE STRENGTH OF BROTHERHOOD

✶ BRATISLAVA / 1953/1956/1959

Keď Peter, Marián a Anton vyrastali, v ich dome bolo tesno. V malom byte v Bratislave spolu žili otec, mama a šesť detí. Mať veľa súrodencov malo výhodu – vždy si bolo s kým zahrať hokej. V zime si chlapci vytvorili svoje vlastné klzisko. Stačila im na to obyčajná hadica a zopár starých dosiek.

Bratské trio dosahovalo jeden úspech za druhým. Vynikli v súťaži juniorov a vstúpili do profesionálnej ligy ako hokejisti klubu Slovan Bratislava. Netrvalo dlho a všetci sa stali súčasťou národného tímu a reprezentovali Československo. Navonok sa zdalo, že všetko je v poriadku, ale mladí muži neboli šťastní, a to ani napriek všetkým dosiahnutým úspechom. Ich krajina nebola slobodná. V Československu vládli komunisti. Predstav si, aké to je, keď si nemôžeš obliecť, čo chceš, povedať, čo si myslíš, či mať taký účes, aký sa ti páči. Ľudia nemohli cestovať a za chodenie do kostola ich mohli kedykoľvek potrestať.

Jedného dňa v roku 1980 sa bratia rozhodli risknúť to a z krajiny ujsť. Príležitosť sa naskytla, keď hrali s československým mužstvom zápas v susednom Rakúsku. Peter a Anton boli odhodlaní túto vzácnu šancu využiť. Stretli sa s predstaviteľmi hokejového klubu Quebec Nordiques, ktorí sa podujali mladých mužov skryť pred tajnou políciou a vpašovať na palubu lietadla do Kanady.

O 9 mesiacov neskôr prišiel do Severnej Ameriky aj brat Marián. Anton, Peter a Marián utvorili jednu z najznámejších hokejových trojíc na svete. Boli najúdernejšou bratskou trojkou v histórii športu. Peter sa stal jedným zo sto najlepších hokejistov všetkých čias. Bratia zostali verní Slovensku, tradičným hodnotám a viere v Boha.

Aký bol recept na úspech bratov Šťastných? Tímová práca a vzájomná dôvera.

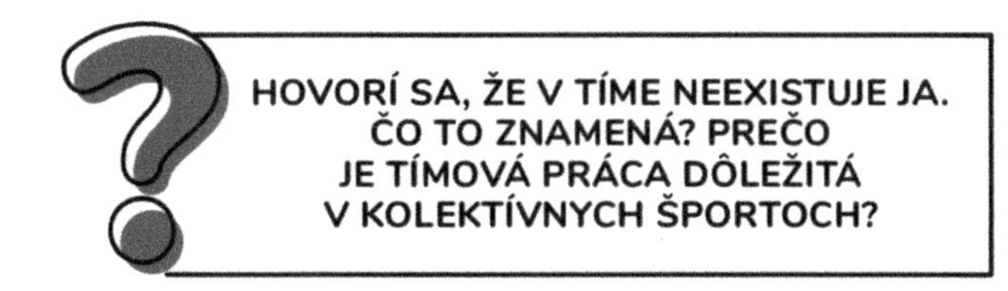

NATASA STEFUNKOVA

It was a little crowded in the Šťastný family home when Peter, Marián and Anton were growing up. Two parents and six kids lived together in a small apartment in Bratislava. The good thing about having so many siblings was that there was always was someone to play hockey with. In winter, the boys made their very own outdoor ice rink. All they needed was an ordinary garden hose and old boards.

As they grew, the trio quickly rose up the junior ranks and joined the hockey team Slovan Bratislava. It did not take long before the brothers were playing for the Czechoslovak national team. It seemed that all was good, but the brothers were unhappy because their country was not free. It was controlled and ruled by communists. Imagine not being able to wear what you want, or say what you want, or have your hair cut the way you want. People could not travel and it was dangerous to even go to church.

The brothers decided to risk it all and escape from Czechoslovakia in 1980. They were with their team playing a match in neighbouring Austria when Peter and Anton took their chance to break free. They met with representatives of the Quebec Nordiques hockey team who protected the men from the communist secret police by arranging a heavily armed special forces commando to guard them until they were safely on the plane to Canada.

Nine months later, the third brother, Marián, joined the squad in North America after an equally dramatic escape. Anton, Peter, and Marián formed one of the most famous and successful hockey threesomes in the world. They were the best brother line in the history of the game. Peter was voted one of the 100 greatest hockey players of all time. Throughout their lives, the brothers always remained loyal to their Slovak identity and traditional values, where faith in God was at the core.

What is the secret behind the success and stardom of the Šťastný brothers? They say it is strong will, teamwork and trusting each other.

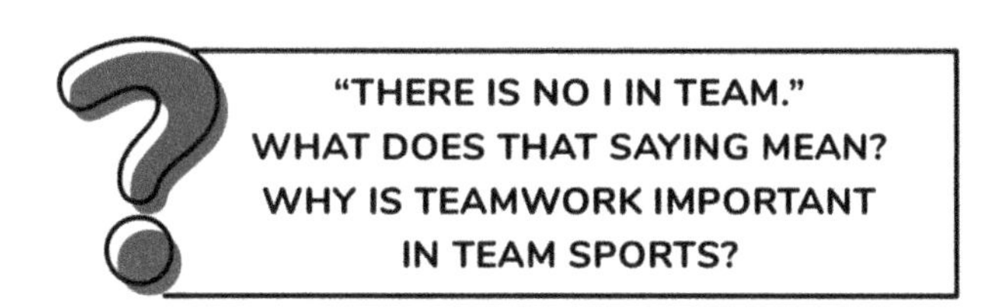

MAJSTER
PAVOL
...ZMENIL SVET UMENÍM NEVÍDANEJ KRÁSY
...CHANGED THE WORLD BY CREATING ART OF EXTRAORDINARY SKILL AND BEAUTY

✶ ??? / 1460 - 1542

Pred 500 rokmi žil v Levoči talentovaný a záhadný umelec menom Pavol. Jeho oltár v Bazilike sv. Jakuba v Levoči je najvyšší gotický drevený oltár na svete.

Pavol mal jedinečnú schopnosť vidieť tvary a príbehy, ktoré sa ukrývali v obyčajnom dreve. Mesiace trávil vo svojej dielni. Vyrezával, hladil a kúsok po kúsku upravoval drevo, až dokiaľ sa z neho nevynorili postavy, ktoré si Pavol predstavoval. Videl krásu a umenie aj tam, kde iní badali len kus dreva.

Pavol vdýchol život nebeským anjelom, chrabrým rytierom, hrozivým drakom, vznešeným kráľom a kráľovnám, svätcom i odvážnym hrdinom z legiend. Niektoré z jeho sôch sa ponášali na Pavlových priateľov z Levoče. V tom čase neexistovali fotoaparáty či počítače a iba bohatí vlastnili zrkadlá. Len si predstav, ako sa museli miestni tešiť, keď v sochách majstra Pavla spoznali samých seba!

Majster Pavol z Levoče je záhadou, lebo o ňom takmer nič nevieme. Nepoznáme jeho priezvisko, ba ani dátum narodenia. Vieme len, že ľudia obdivovali jeho prácu tak veľmi, že ho nazvali „Majstrom Pavlom".

Mnohé z Pavlových sôch prežili dodnes. Nájdeš ich v kostoloch a múzeách v Levoči, Banskej Bystrici a v Prešove.

PAMÄTÁŠ SI NEJAKÉ SOCHY, KTORÉ SI VIDEL/A NA VLASTNÉ OČI? Z ČOHO BOLI UROBENÉ? PREDSTAV SI, ŽE MÁŠ VYTVORIŤ SOCHU. KOHO BY SI ZOBRAZIL/A ALEBO BY SI SOCHOU RADŠEJ ZACHYTIL/A PRÍBEH?

DÁVID MARCIN

500 years ago, in Levoča, there lived an amazing and mysterious artist called Pavol (Paul). His altar in the Basilica of St. James in Levoča is the highest Gothic wooden altar in the world.

Pavol had a unique ability to 'see' the shapes and stories that lay hidden in ordinary pieces of wood. He would spend months in his workshop, carving, smoothing and chipping away at the wood until the figures that he saw finally emerged. He recognised beauty and art where others only saw ordinary wood.

Pavol brought to life - angels in heaven, brave knights slaying dragons, noble kings and queens, holy saints and courageous heroes in his wonderful sculptures. Sometimes he made engravings that looked like his friends in Levoča. In those days, people had no cameras or computers, and only the richest people could perhaps own a mirror. So just imagine how excited the locals felt when they saw statues of themselves made by Pavol.

The great sculptor from Levoča is a mystery because we know so little about him, not even his family name or his exact date of birth. But what we do know is that the people loved the beauty of his work so much that they gave him the title „Master Pavol".

Many of Pavol's sculptures have survived to this day. If you are lucky you might be able to see them in churches and museums in Levoča, Banská Bystrica and Prešov.

CAN YOU REMEMBER ANY SCULPTURES YOU HAVE SEEN?
WHAT WERE THEY MADE OF?
WHAT STORY OR PERSON WOULD YOU MAKE A SCULPTURE OF?

...ZMENIL SVET TÝM, ŽE SPOJIL VEDU A PREDSTAVIVOSŤ

...HAS CHANGED THE WORLD BY COMBINING SCIENCE AND IMAGINATION

* NITRA / 1959

Štefan vyrastal blízko malého letiska v Nitre. Spolu so svojimi bratmi veľmi rád sledoval, ako lietadlá vzlietajú a pristávajú. Učarovala mu predstava ľudí, ktorí dokážu lietať. Štefan trávil veľa času v rodinnom ateliéri, kde ho otec učil narábať s rôznymi materiálmi, riešiť technické problémy a zostrojovať jednoduché stroje.

Nikoho neprekvapilo, keď sa Štefan rozhodol študovať technológiu. Chcel vedieť viac o lietadlách a strojoch, a tak si vybral Slovenskú technickú univerzitu a Vysokú školu výtvarných umení v Bratislave. Štefan mal talent a od začiatku prekvapoval profesorov a spolužiakov svojimi vizionárskymi dielami, ktoré v sebe spájali krásu a vedu.

Precestoval mnohé krajiny, aby spoznal niečo nové a skúmal inovácie. Odjakživa sa zaujímal o to, ako technológie menia svet a ako ľudia v iných krajinách robia veci inak. Napriek tomu sa vždy rád vracia domov. Na Slovensku vedie vlastnú firmu a katedru na univerzite. Dal si za úlohu prebudiť v mladých ľuďoch predstavivosť.

Štefan navrhol lietadlo, bagre a futuristické vlaky, autobusy a motorky, avšak jeho najúžasnejším vynálezom je lietajúce auto. Aké by to bolo, keby sme všetci mohli lietať? Štefan Klein má veľké sny. Je presvedčený, že raz nebudeme musieť stavať cesty, lebo každý bude cestovať vo svojom lietajúcom aute.

Vzdelanie, múdrosť a predstavivosť sú kľúčom k lepšej budúcnosti. Všetci máme potenciál zmeniť svet. Kto vie, možno práve ty budeš raz cestovať v jednom z lietajúcich áut Štefana Kleina.

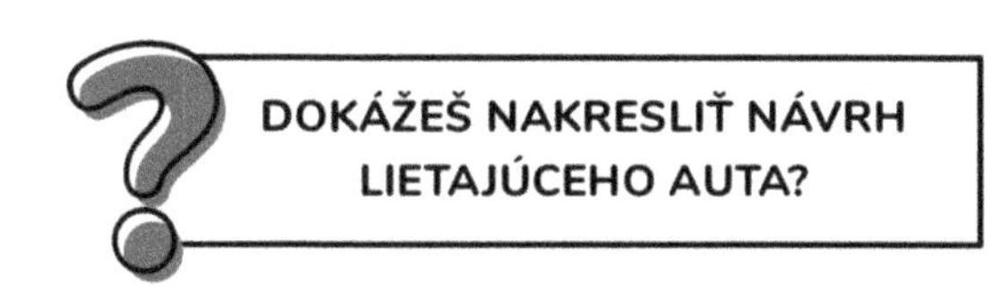

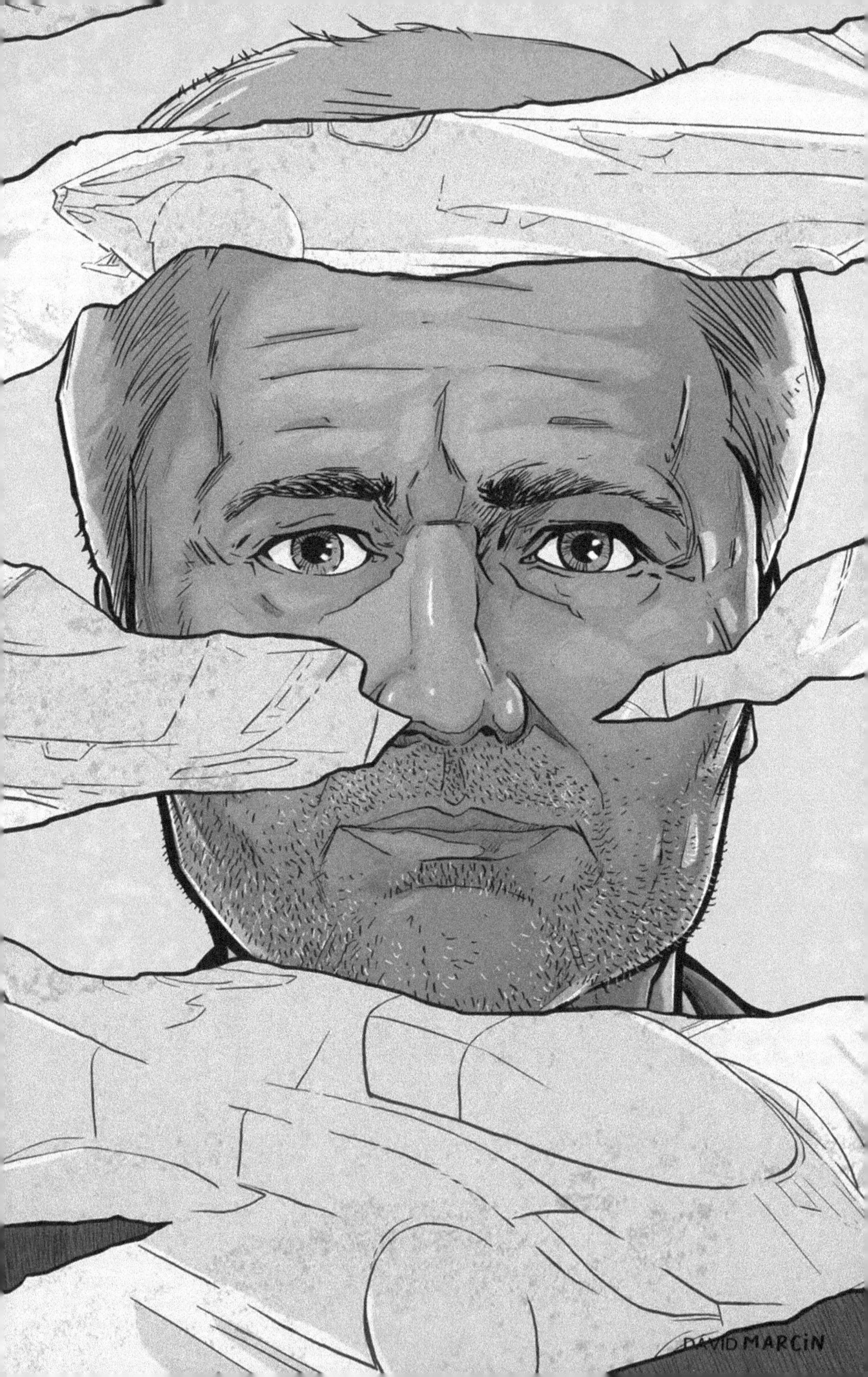
DAVID MARCIN

Štefan grew up by a small airport in Nitra. He and his brothers would often watch the planes coming and going, fascinated by the idea of humans flying. He spent a lot of time with his father in the family workshop, learning how to work with different materials, solving design problems and building simple machines.

It was no surprise that Štefan wanted to study technology. He wanted to know more about planes and machines so he chose the Slovak University of Technology and the Academy of Fine Arts and Design in Bratislava. Štefan possessed real talent and from the beginning, his visionary inventions that combined science with art amazed the other students and professors.

Štefan has designed an aircraft, a walking excavator and futuristic trains, buses, and motorbikes, but the flying car is his most amazing innovation. Just imagine if we all could fly! Štefan Klein has big dreams about the future. He believes that one day, we will not need to build so many roads because we will have our own flying cars to get everywhere.

Nowadays, Štefan travels to many countries to see new things and to learn about new innovations. He has always wanted to understand how technology changes around the world and how people do things differently in different countries. Yet, Štefan always returns home. In Slovakia he runs his own company and heads an entire university department, igniting the imagination of generations of young Slovaks.

The key to a better and brighter future is knowledge and imagination. We all have the potential to change the world. Who knows, one day you may be able to travel in one of Štefan Klein's flying cars.

...ZMENIL SVET TÝM, ŽE NÁM POMOHOL SPOZNAŤ ĽUDSKÉ TELO

...CHANGED THE WORLD BY DEVELOPING OUR KNOWLEDGE OF THE HUMAN BODY

✶ WROCŁAW, POLAND / 1566–1621

Ján Jessenius už ako malý chlapec túžil pochopiť, ako funguje ľudské telo, a preto študoval medicínu na najstarších univerzitách v Európe. Bol sklamaný, keď zistil, ako málo toho lekári o ľudskom tele vedia. Stredoveká medicína sa spoliehala na pozorovanie ľudského tela zvonku, a nie na skúmanie toho, čo bolo vnútri.

Ján veril, že medicína sa musí zmeniť, ak má úspešne liečiť ľudí a že kľúčom je lepšie spoznať anatómiu človeka. Stal sa jedným z najlepších a najvychýrenejších lekárov tej doby. Liečil princov i kráľov.

Jessenius bol však rebel. Vykonal verejnú pitvu v Prahe, kde pracoval ako dvorný lekár cisára Rudolfa II. Raz sa pokúsil k telu prišiť hlavu, aby videl, či to mŕtveho vráti do života. Možno sa to zdá čudné, ale ako inak zistíme, či niečo funguje alebo nie? Ján bol odhodlaný posunúť lekársku vedu ďalej. Ľudia trpeli mnohými chorobami, na ktoré medicína nepoznala liek a Ján im chcel pomôcť.

Zapojil sa aj do politiky. V Európe aj na Slovensku počas jeho života proti sebe bojovali katolíci s protestantmi. Tridsaťročná vojna bola sériou náboženských bitiek, ktoré plienili Európu. Ján v boji o český a uhorský trón podporil kandidáta protestantov, Fridricha V. Falckého. Jeho súperom bol katolícky cisár Ferdinand.

Jessenius sa obával, že ak koruna padne do rúk prísneho katolíka, protestanti a vedecký pokrok to nebudú mať ľahké. Nestalo sa tak, Fridrich V. bol naozaj korunovaný za kráľa, avšak jeho vláda trvala iba krátko. „Zimný kráľ“ ako je známy v dejinách, prehral v roku 1620 dôležitú bitku na Bielej hore len niekoľko mesiacov po tom, čo sa chopil moci a prišiel tak o svoj trón.

Pre Jessenia to boli zlé správy. Víťaz, cisár Ferdinand, nariadil zatknúť všetkých, ktorí podporili jeho rivala. Ján sa pokúsil ujsť, ale bol zajatý v Bratislave a odvedený do Prahy, kde ho odsúdili na trest smrti za vlastizradu.

Jána Jessenia popravili 21. júna 1621. Najprv ho sťali, ale keďže sa súd obával, že Ján použije svoje medicínske poznatky, aby sám seba oživil, kat dostal príkaz rozštvrtiť jeho telo. Pre istotu.

STALO SA TI NIEKEDY, ŽE SI ZDANLIVO V NIEČOM ZLYHAL/A,ALE V SKUTOČNOSTI SI SA VĎAKA TOMU VEĽA NAUČILA/A?

LUCIA GREJTÁKOVÁ

Ever since he was a little boy, Ján Jessenius wanted to understand how the human body works. That is why he decided to study medicine at some of the oldest European universities. He was not happy when he saw that the doctors at that time actually knew very little about the body. In the Middle Ages, much of what they knew was based on observing bodies from the outside, not by looking at what was inside.

Ján believed that medicine had to change to be able to heal people better. The time had come to understand our own bodies more. He became one of the best doctors of his time and even healed princes and kings.

Jessenius was a rebel and he performed a public autopsy in Prague, where he worked for Emperor Rudolf II. He once even attempted to re-join a dead man's head to his body to see if he could bring the deceased back to life. This might seem strange, but we only learn by trying and Ján was determined to make medicine better. He wanted to help people who were suffering from diseases that doctors could not cure.

Jessenius also got involved in politics. At the time, Catholics were fighting Protestants all over Europe, including Slovakia. It was called the Thirty Years War. This was a series of religious battles which caused great death and destruction across Europe. When the time came to select a new king to rule over the Kingdoms of Bohemia and Hungary, Ján supported the Protestant, Frederick V of the Palatinate against the Catholic Emperor Ferdinand.

Jessenius was worried that a strict Catholic King would oppress Protestants and stifle scientific progress. The Protestant Frederick was crowned, but his reign was short-lived. He became known as the 'Winter King' because he was defeated at the Battle of White Mountain in 1620, just a few short months after taking the throne.

This was bad news for Jessenius, because the winner, Ferdinand, ordered all of Frederick's supporters to be arrested. Jessenius tried to escape but he was captured in Bratislava, taken back to Prague, and sentenced to death for treason.

On June 21, 1621, Jessenius was executed. First, he was beheaded, but the authorities feared that Jessenius would use his special knowledge to bring his own body back together and return to life. So, the executioner was ordered to cut Ján's body into quarters.

CAN YOU THINK OF A TIME WHEN YOU SEEMED TO FAIL, BUT YOU LEARNED A LOT?

* SMOLENICE / 1870 - 1941

Štefan Banič sa narodil v Smoleniciach na západnom Slovensku. Ako mladý muž rád riešil rôzne úlohy a sníval veľké sny, ktoré siahali ďaleko za hranice jeho malého mesta či krajiny. Emigroval zo Slovenska, vtedajšieho Rakúsko-Uhorska, a vybral sa za lepším životom do Ameriky. Začiatky v novej krajine boli ťažké. Štefan našiel svoju prvú prácu v uhoľných baniach mesta Greenville v Pensylvánii.

V roku 1921 sa Banič stal svedkom leteckého nešťastia, ktoré prebudilo jeho inovátorského ducha. Začal premýšľať nad vynálezom, ktorý by pomohol zachrániť životy pri podobných tragédiách.

Štefan svoj vynález pomenoval „padák". Veľká tkaninová plachta mala umožniť ľuďom vyskočiť v núdzových situáciách z lietadla a prežiť. Nikto nič podobné predtým nevidel. Štefan začal kresliť návrhy a neskôr konštruovať prototyp. V lete 1913 bol vynález na svete. Ako však zistiť, či skutočne funguje?

Nenašiel sa žiaden bláznivý dobrovoľník, ktorý by sa podujal na test prvého padáka. Hovorí sa, že Štefan vzal výzvu do vlastných rúk a zoskočil s padákom zo strechy budovy vo Washingtone DC.

Bol to nebezpečný pokus, ale, našťastie, padák fungoval a Štefan bezpečne pristál na zemi. Svoj vynález znova úspešne otestoval výskokom z vojenského lietadla a získal patent, ktorý venoval americkej armáde. Ďalší vynálezcovia pokračovali vo vývoji padáka, ktorý odvtedy zachránil tisíce životov. Toto všetko bolo možné len vďaka odvahe a šikovnosti mladého muža zo Smoleníc.

Čo sa stalo so Štefanom Baničom potom? Po prvej svetovej vojne sa rozpadlo Rakúsko-Uhorsko a vzniklo Československo. Štefan sa rozhodol pre návrat do rodného mesta.

Nikdy neprestal byť zvedavý, čo ho viedlo k zapojeniu sa do prieskumu krasovej jaskyne Driny. Tá je dnes populárnou turistickou atrakciou Smoleníc, podzemnou perlou v samotnom srdci Malých Karpát.

AKÉ VECI POUŽÍVAME KAŽDÝ DEŇ, KTORÉ BOLO POTREBNÉ VYNÁJSŤ?

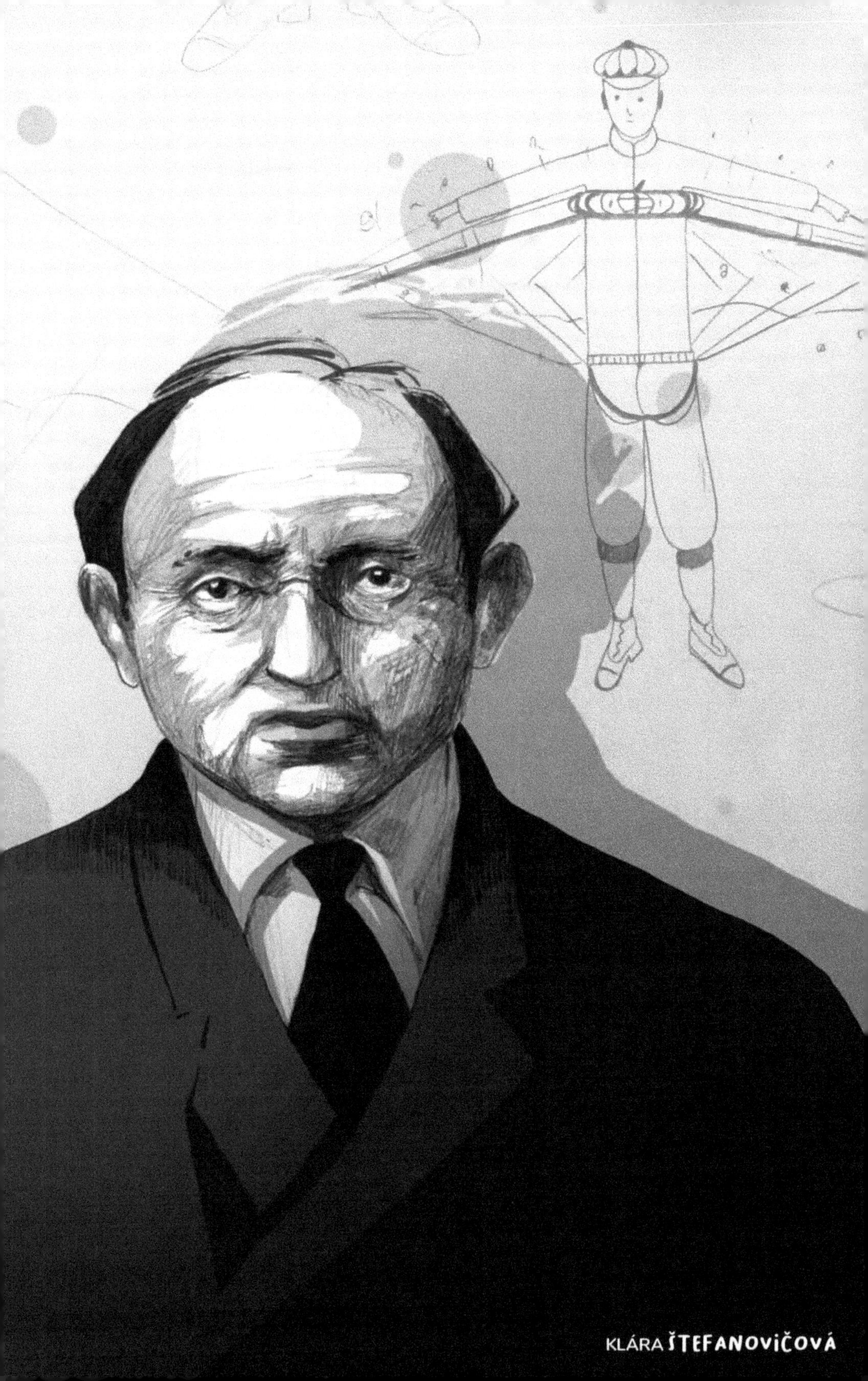
KLÁRA ŠTEFANOVIČOVÁ

Štefan Banič grew up in the small town of Smolenice, in western Slovakia. When he was a young man, he always liked to solve problems and his dreams were bigger than his hometown and even his home country. He emigrated from Slovakia, then Austria-Hungary, in search of a more fulfilling life in the US. It was tough to start anew in a foreign country and he had to work hard as a coal miner in Greenville, Pennsylvania, in the beginning.

Then Štefan witnessed a terrible plane crash in 1912 and his creative problem-solving spirit awoke. He started thinking about a new invention to prevent people from dying such tragic deaths.

Štefan called his invention a 'parachute'. It was a large canopy that would make it possible for people to survive by jumping from an aeroplane in an emergency. It was unlike anything anyone had ever seen before. Štefan began by sketching out his design and later building the parts from scratch in his workshop. By the summer of 1913, his parachute was ready. But how could he find out if it worked?

Nobody was crazy enough to volunteer for such an experiment, so, according to some stories, Štefan decided he would have to find out for himself by jumping from the top of a building in Washington DC.

This was a very dangerous experiment but fortunately for Štefan, his parachute worked and he landed safely. He tested his creation again by jumping from a US military aircraft and again he landed safely. This is how his creation got the seal of approval. He donated his patent to the U.S. Army. Other inventors continued to develop and improve his design. Since then, parachutes have saved thousands of lives. This was made possible thanks to the problem-solving bravery of the young man from Smolenice.

And what of Štefan Banič himself? Austria-Hungary fell after the First World War and Czechoslovakia was born. That is when he decided to return to his homeland and his home town. He continued to be curious and helped explore Driny Karst Cave, a popular tourist attraction today in the foothills of the Little Carpathian Mountains.

WHAT ARE SOME THINGS WE USE EVERYDAY THAT HAD TO BE INVENTED?

...ZMENIL SVET TÝM, ŽE ĽUDÍ POVZBUDZOVAL, ABY ROZMÝŠĽALI SAMI ZA SEBA

...CHANGED THE WORLD BY ENCOURAGING PEOPLE TO THINK FOR THEMSELVES

✶ OČOVÁ / 1684 – 1749

Matej Bel bol jedným z predstaviteľov osvietenstva. Tak nazývame obdobie 17. a 18. storočia, kedy vedci a filozofi prinášali ľuďom nový pohľad na myslenie a poznanie. Ich najvýznamnejším odkazom pre ľudí bolo, aby začali rozmýšľať sami za seba. Nastala celkom nová éra, ktorá nám umožnila pýtať sa otázky a spoznávať svet okolo nás.

V Anglicku Francis Bacon vyvinul novú vedeckú metódu založenú na pokusoch, o ktorej si možno počul/a v škole. Podľa legendy sa Isaac Newton nechal inšpirovať jablkom, ktoré spadlo zo stromu na zem, a na základe toho zostavil svoju teóriu zemskej príťažlivosti. Vo Francúzsku Voltaire vzdelával verejnosť o ľudských právach a slobode prejavu. Diderot zasa napísal knihu zahŕňajúcu všetky zozbierané poznatky a vznikla tak prvá encyklopédia. Na Slovensku do osvietenskej činnosti svojou prácou prispel Matej Bel.

Matej sa narodil v dedinke Očová na strednom Slovensku v roku 1684. Naučil sa hovoriť plynule slovensky, maďarsky a nemecky a tieto jazyky tiež podrobne študoval, aby zistil, odkiaľ pochádzajú a ako navzájom súvisia. Do slovenčiny preložil veľa kníh, a aby iným uľahčil preklad, zostavil štvorjazyčný latinsko-nemecko-maďarsko-český slovník.

Matej Bel bol tiež učiteľom s inovátorskými metódami. Svojich žiakov viedol k tomu, aby sa o prírodných zákonoch učili pozorovaním prírody namiesto toho, aby o nich čítali v zaprášených knihách. Vyučoval mládež históriu i geografiu a povzbudzoval všetkých k tomu, aby prichádzali s vlastnými nápadmi a nielen sa naspamäť učili o nápadoch druhých. Matej Bel bol skutočným priekopníkom doby, pretože ľuďom dodal odvahu myslieť.

ČO SA STANE, KEĎ PRELOŽÍŠ VETU Z JEDNÉHO JAZYKA DO DRUHÉHO DOSLOVNE – PRESNE SLOVO ZA SLOVOM? BUDE DÁVAŤ ZMYSEL? AKO JE MOŽNÉ PRELOŽIŤ VETU ČO NAJLEPŠIE?

DÁVID MARCIN

Matej Bel was a man of 'the Enlightenment'. This was a period of the 17th and 18th centuries when scientists and philosophers began to develop a new understanding of knowledge. Their most important idea was that people can reason for themselves, and that we can discover knowledge for ourselves by studying the world around us.

In England, Francis Bacon developed The Scientific Method, which you probably learn about in your science classes today. According to legend, Isaac Newton explained the law of gravity after seeing an apple fall from a tree. In France, Voltaire was talking about human rights and free speech. Diderot wrote a book containing all the knowledge he could find, creating the first encyclopaedia ever. In Slovakia, Matej Bel was making his own contribution to the European Enlightenment.

He was born in the central Slovak village of Očová in 1684 and he grew up speaking Slovak, Hungarian and German fluently. He studied these languages and tried to work out where they came from and how they were related. He translated many books into Slovak and he wrote a four-language dictionary so that other people could translate from Latin, German, Hungarian and Czech.

Matej Bel applied his new teaching methods in his classroom so that his students could learn by directly observing the natural world, instead of reading about it in dusty books. He also taught his students the history and geography of their homeland and encouraged them to develop their own knowledge, instead of memorising other people's ideas. Matej Bel was a pioneer because he empowered people to think for themselves. Matej Bel University in Banská Bystrica was named in his honour in 1992.

WHAT HAPPENS WHEN YOU TRY TO TRANSLATE EACH WORD OF A SENTENCE IN THE SAME ORDER? WHAT IS THE BEST WAY TO TRANSLATE A SENTENCE?

NOVÝ BOHUMÍN, MORAVIAN SILESIA / 1930 – 1990

„Filozofia" je zaujímavé slovo. Pochádza z gréčtiny a znamená „láska k múdrosti". Milan Šimečka bol spisovateľ, učiteľ a filozof, ktorý naozaj miloval múdrosť. Vyučoval na Univerzite Komenského v Bratislave a často sa hlboko zamýšľal nad tým, čo sa dialo v komunistickom Československu. Snažil sa pochopiť dôvod, prečo sa ľudia správali, tak, ako sa správali.

Milana obzvlášť zaujímali paradoxy. Paradox vzniká spojením dvoch protichodných myšlienok a práve jedným z takých paradoxov bolo aj „civilizované násilie", ktoré vtedajšia vládna moc na ľuďoch praktizovala. Kritizoval tento systém, pretože ako môže byť násilie civilizované? Čo to vlastne znamená? Keď komunistická strana nemohla použiť fyzické násilie, uchýlila sa k civilizovanému násiliu. Ničila životy ľudí tým, že sa im vyhrážala prepustením z práce alebo tým, že zabráni ich deťom študovať na vysokej škole.

Ďalším paradoxom, o ktorom Milan písal bola „falošná pravda". Ako môže byť pravda falošná? Milan opísal, ako vláda ľuďom klamala a tí, aj napriek tomu, že vedeli, že sú to lži, predstierali, že je to pravda.

Šimečkovi bolo jasné, čo sa dialo. Hoci bolo jednoduchšie a bezpečnejšie byť ticho, rozhodol sa o realite, ktorej bol svedkom, otvorene hovoriť. Vo svojich prácach zaznamenal, ako komunisti ovládali ľudí, manipulovali ich myslenie a zadržiavali dôležité informácie. Protestoval proti špinavým praktikám a nespravodlivosti štátu, ktorý trestal každého, kto mal odvahu rozmýšľať a žiť po svojom. Možno sa pýtaš, prečo to komunisti robili? Odpoveď je jednoduchá - báli sa, že prídu o moc.

Komunistický režim Milanove knihy zakázal a on bol nútený pracovať v robotníckych povolaniach až do svojho uväznenia v roku 1981. Z väzenia písal listy rodine, v ktorých vysvetľoval, ako veľmi ich ľúbi a ako veľmi si váži pokoj, pravdu a múdrosť. V roku 1989 sa pripojil k Nežnej revolúcii, ktorou občania žiadali zmenu vlády a režimu. Milan Šimečka bol jedným z hlavných predstaviteľov hnutia Verejnosť proti násiliu, ktoré na politickej scéne vystriedalo komunistický režim.

BÁL SI SA NIEKEDY UROBIŤ TO, ČO BOLO SPRÁVNE?

KLÁRA ŠTEFANOVIČOVÁ

„Philosophy" is an interesting word. It comes from Greek and means the „love of wisdom". Milan Šimečka was a Czech-Slovak writer, teacher and philosopher who really loved wisdom. He moved to Slovakia and taught at Comenius University in Bratislava, where he thought deeply about what was happening in communist Czechoslovakia and tried to understand why humans behave the way they do.

Milan was especially interested in paradoxes. This is a situation where there is a contradiction between two ideas. For example, he criticised the 'civilised violence' which the government used to control the people. How can violence be civilised, and what was it? When communist officials could not use physical violence, they applied civilised violence. This is how they could ruin your life by threatening to take away your job, or perhaps your child's place at university.

Another paradox that Milan wrote about was the idea of 'false truth'. How can truth be false? Milan was describing the way in which the government told lies, and most people knew they were lies, but pretended they were the truth.

Milan saw what was going on. It was safer to be silent, but he decided to speak about it and write about it. He recorded how the communists controlled people's lives by controlling their minds and suppressing information. He spoke against the injustices of the state that punished people who dared to speak their mind and live their life the way they wanted to. You might wonder why the communists did that. It was simple – they were scared of losing power.

Milan's books were banned, he was forced to work at hard labour jobs, and then he was sent to prison in 1981. During this time, he wrote letters to his family, explaining his love for them, and his love for peace, real truth and wisdom. In 1989, he joined with other citizens demanding a change in government; this became known as the Velvet Revolution. He became a prominent leader of the Public Against Violence movement that replaced the communist regime.

WAS THERE A TIME YOU WERE SCARED TO DO THE RIGHT THING?

TERCHOVÁ / 1688 - 1713

Jánošík je hrdina Slovákov. Bol rebel, muž hôr a zbojník, ktorý bohatým bral a chudobným dával. Hoci od Jánošíkovej smrti uplynulo už vyše 300 rokov, jeho hviezda žiari ďalej a tento hrdina stále žije v básňach, povestiach, maľbách či filmoch.

Detaily Jánošíkovho života nepoznáme, pretože z tej doby sa zachovalo málo historických dokumentov. Vieme však, že sa narodil na severe Slovenska v Terchovej v roku 1688 a ako mladý muž vstúpil do kráľovskej armády. V roku 1711 sa stal vodcom zbojníckej skupiny, ktorá kradla zbrane, šperky a peniaze pocestným na severnom Slovensku a skrývala sa v horách.

Vraví sa, že Jánošík bol mužom cti a symbolom rovnosti a spravodlivosti. V jeho dobe by totiž tvoj život nebol celkom tvoj. Riadila ho prísna spoločenská hierarchia. Bolo úplne jedno, ako ťažko si pracoval. Aj tak si bol stále chudobný a vystavený na milosť a nemilosť vrchnosti.

Jánošík sa postavil režimu, ktorý utláčal obyčajných ľudí, hoc zaplatil za to najvyššiu cenu. Bojoval v mene bezbranných až do roku 1713, kedy ho zajali a predviedli pred súd. Napriek mučeniu nikdy nevyzradil mená mužov, s ktorými zbíjal. Jánošíka v Liptovskom Mikuláši odsúdili na smrť obesením nezvyčajne krutým spôsobom. Zomrel povesený na háku, ktorým prebodli jeho rebrá. Ako je možné, že vieme o detailoch jeho smrti? Je to preto, že súdny záznam jeho procesu a popravy sa dodnes zachoval.

Starovekí Gréci by takýto príbeh vydedenca nazvali „tragédiou". Jánošík mal aj napriek krutým nástrahám odvahu robiť to, čo považoval za správne. Je to pôsobivá legenda o ľuďmi zbožňovanom hrdinovi a jeho dobrodružstvách, avšak so smutným koncom. Aj šťastie nášho hrdinu netrvalo večne a musel podstúpiť bolestnú smrť.

Tragická smrť ešte umocnila Jánošíkovu slávu. V priebehu storočí rozprávači jeho príbeh vylepšili fantastickými zmienkami o tom, ako skákal cez vysoké múry či chodil po žeravých uhlíkoch. Dnes je známych viacero verzií legendy o zbojníckom hrdinovi.

Niektorí v Jánošíkovi vidia hrdinu, ktorý žil slobodne v časoch, kedy sloboda bola vzácna. Pre iných je symbolom spravodlivosti a mužom, ktorý sa vyznal v lesoch a horách Slovenska aj poslepiačky. Komunisti z Jánošíka urobili hrdinu ľudu, ktorý bohatých oberal o bohatstvo a dával ho chudobe. Jeho príklad použili ako opodstatnenie habania majetkov v prospech štátu.

Dokonca aj Jánošíkov zjav sa stal legendou. Dlhé vlasy zapletené do vrkočov, zbojnícky klobúk a valaška sú dodnes folklórnymi symbolmi Slovenska.

Jánošíkov život bol krátky, ale jeho príbeh je nesmrteľný.

NATASA STEFUNKOVA

Jánošík is the ultimate Slovak hero. He was a rebel, a man of the mountains and a highwayman who stole from the rich and gave to the poor. Over 300 years have passed since his death, but his fame has only grown thanks to poems, paintings and films.

Many details of Jánošík's life are unknown because only a few historical documents have survived. We do know that he was born in the northern Slovak town of Terchová in 1688, joined the military as a young man, and in 1711 he became leader of an outlaw gang of robbers who stole weapons, jewels, and money from travellers on the roads of northern Slovakia before escaping to secret hide-outs in the mountains.

Jánošík is regarded as a man of honour and a symbol of class struggle. Back then the rich dictated the life of the poor. This meant that no matter how hard you worked, you would always be poor and exposed to the whims of the rich.

Jánošík took a stand against an oppressive regime, defending the defenceless, but it cost him his life. His downfall came in 1713, when he was captured and put on trial. Despite being tortured, he refused to reveal the names of his fellow outlaw brothers. He was sentenced to death and executed in Liptovský Mikuláš by being hanged on a metal hook which pierced through his ribs. We can be certain about these details because the court records of his trial still exist.

The ancient Greeks would call his story a "tragedy": the legend of the brave underdog who did what he felt was right despite the odds being against him and who died in the process. It is an epic but sad story of a hero and his many adventures. He was, and is, loved by the common people, but his luck could not last forever and so he was doomed to meet a painful death.

This tragic death made Jánošík's star shine even brighter. Storytellers have added to the legend with tales of Jánošík leaping over high walls and walking through fire. There are many versions of his story.

Some see Jánošik as a hero who dared to be free in an unfree world. To others, he is a symbol of fairness. Some see him as a man of nature who knew the forests and mountains of Slovakia like the palm of his hand. Communism showed him as a man of the people, taking from the rich and giving to the poor, and used his example to justify their seizing people's properties. Even Jánošík's look has become iconic. His long braided hair, his bandit's hat, and his axe are all iconic symbols of Slovak folklore.

Jánošík's life was short, but his legend will live forever.

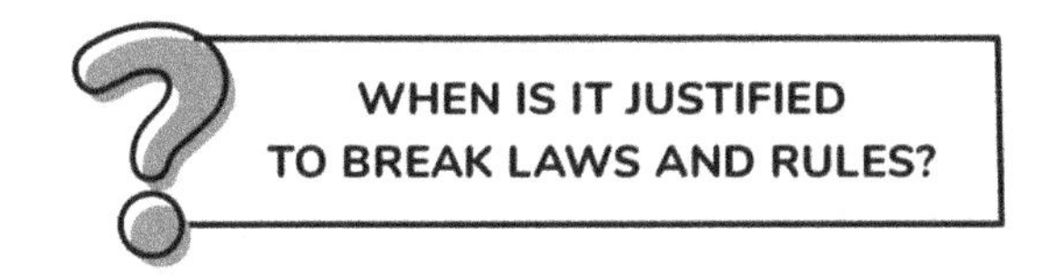

...ZMENIL SVET FÉROVOU HROU

...CHANGED THE WORLD BY SHOWING THE VALUE OF FAIR PLAY

BERNOLÁKOVO / 1935 – 2011

Predstav si, že hráš v národnom futbalovom tíme na Majstrovstvá sveta vo futbale, vystúpiš na ihrisko pred tisíckami burácajúcich fanúšikov. V roku 1962 sa tento sen splnil Jánovi Popluhárovi a ďalším členom futbalovej reprezentácie Československa, ktorí cestovali do Chile v Južnej Amerike, aby odohrali najdôležitejší zápas života.

Ján vedel, že to nebude ľahké. Čechoslováci mali v skupine Brazíliu, úradujúceho svetového šampióna a ich hviezdu Pelého, najlepšieho futbalistu sveta. Ján a jeho spoluhráči museli nájsť spôsob, ako ho zastaviť. Československo získalo loptu a začalo útok. Ján si všimol, že Pelé sa zranil. Mal pokračovať ďalej v hre, alebo zastať a dať Pelému priestor na ošetrenie? Ján prerušil zápas, aby sa uistil, že Pelé je v dobrých rukách. Vtedy ešte neexistovali náhradníci, takže Pelé musel zápas dokončiť. Ján a jeho tím sa dohodli, že nebudú na Pelého útočiť, aby nezhoršili jeho zranenie.

Zápas sa skončil remízou 0 : 0 a obe družstvá sa dostali do ďalšieho kola. Českoslovesko aj Brazília zlepšovali svoju hru a postupovali ďalej turnajom. Československo v štvrťfinále porazilo Maďarsko 1 : 0 a nasledujúce víťazstvo 3-1 v semifinálovom zápase nad Juhosláviou ho dostalo do veľkého finále.

17. júna 1962 sa Ján a jeho tím po druhý raz postavili Brazílii v najväčšom futbalovom zápase sveta, na ktorý sa prišlo pozrieť 68 000 divákov. Jánovo družstvo dalo po 15 minútach hry prvý gól, no Brazília rýchlo odpovedala a do polčasu stihla vyrovnať na 1 : 1. V druhom polčase oba tímy siahli na dno svojich síl. Brankár Československa zabránil niekoľkým jasným gólom, ale Brazílii sa napokon podarilo znova skórovať. Nato pridali druhý gól a 10 minút pred koncom zápasu vyhrávali 3 : 1.

Československo sa muselo uspokojiť s druhým miestom, ale Ján vstúpil do histórie ako férový hráč, ktorý pomohol zranenému protivníkovi. Vedel, že v živote sú dôležitejšie veci ako víťazstvo. Pelé neskôr povedal, že to bola definícia férovej hry a ukážka skutočného športového ducha.

VŠETCI CHCEME VÍŤAZIŤ, ALE V ŠPORTE NEJDE LEN O VÍŤAZSTVO. POMOHOL SI NIEKEDY SVOJMU PROTIVNÍKOVI? POZNÁŠ INÉ PRÍKLADY ŠPORTOVEJ FÉROVOSTI?

KLÁRA ŠTEFANOVIČOVÁ

Imagine playing football for your country at the World Cup Finals. Imagine stepping out onto the green grass in front of thousands of spectators. In 1962 this dream came true for Ján Popluhár and the Czechoslovak national team as they travelled to Chile in South America for the biggest tournament of their lives.

Ján knew it be would be tough. They were playing in the same group as Brazil, the reigning world champions, who had Pelé on their team, the best young footballer in the world. Ján and his teammates had to find a way to stop Pelé. At one point during the game, Czechoslovakia got the ball and started to attack. It was then that Ján noticed Pelé was injured. Should Ján keep playing or should he stop and let Pelé get some treatment? Ján stopped and made sure that Pelé was ok. In those days there were no substitutes so Pelé stayed on the pitch, but Ján and his teammates agreed not to tackle him so that his injury would not worsen.

The match ended in a 0 : 0 draw and both teams went through to the next round. Both Brazil and Czechoslovakia continued to improve and progress through the tournament. Czechoslovakia beat Hungary 1 : 0 in the quarter finals, and then reached the final by beating Yugoslavia 3 : 1 in the semis.

On the 17th June 1962, Ján and his team faced Brazil for a second time. This was the biggest match of all, the World Cup Final, played in front of a huge crowd of over 68,000 spectators. The match started well for Ján's team, and after 15 minutes, they scored: 1 : 0 for Czechoslovakia! Brazil hit back quickly and by half time it was 1 : 1. In the second half both sides tried even harder to score a goal. The Czechoslovakia goalkeeper made some amazing saves, but eventually Brazil scored one, then two more goals, making it 3 : 1 with 10 minutes left on the clock.

The Czechoslovak team had to settle for second place, but Ján was remembered as the man who helped an injured opponent. He knew that some things are more important than winning. As Pelé later said, "that's the definition of fair play" and an example of a true sportsman.

WE ALL WANT TO WIN BUT PEOPLE ARE MORE IMPORTANT.
HAVE YOU EVER HELPED OUT AN OPPONENT?
CAN YOU FIND OTHER EXAMPLES OF GREAT SPORTSMANSHIP?

ŽITNÝ OSTROV / 1710 - 1790

V 18. storočí bolo Slovensko súčasťou Uhorska. Mária Terézia, ktorú poznáš z hodín dejepisu, vtedy vládla rakúsko-uhorskej monarchii a Andrej Hadík slúžil v jej armáde. Patril k maďarskej aristokracii, ale jeho rodina mala slovenské korene.

Andrej bol odvážne dieťa, a preto nikoho neprekvapilo, keď ako dôstojník narukoval do kráľovskej armády. V tých časoch bolo v šľachtických rodinách zvykom, že jeden zo synov vstúpil do armády a Andrej toto očakávanie veľmi rád splnil. *Virtuti nihil invium* (odvaha je neporaziteľná) sa stalo jeho mottom.

Andrej sa preslávil počas sedemročnej vojny, ktorá sa začala v roku 1756. Štáty a králi navzájom bojovali o územie, moc a vplyv. Mária Terézia viedla Habsburgovcov proti Prusku, mocnému kráľovstvu v severnom Nemecku. V tom čase úspech vojenskej výpravy závisel od rýchlosti a výdrže koní a od bystrosti dôstojníkov.

V roku 1757 Hadík zosnoval plán najznámejšieho husárskeho útoku v dejinách. Husári boli elitný oddiel jazdeckého pluku a patrili k najvychýrenejším v Európe. Dôkladný výcvik, rýchlosť, obratnosť a ostré meče im zaručili obdiv a rešpekt. Andrej Hadík velil práve takému husárskemu pluku v čase, keď prišla príležitosť ukázať, čo vie. Cieľom bolo dobyť Berlín, hlavné mesto Pruska.

Hadík vydal skupine 5 000 vojakov rozkaz pochodovať na Berlín. Stalo sa tak, ako dúfal. Útok prekvapil pruského kráľa a zastihol mesto celkom nepripravené. Vojsko, ktoré ho malo chrániť, nebolo doma. Bojovalo inde v bitkách o pruskú nadvládu v Európe a mesto bolo zraniteľné. A teda, ak chcel Andrej uspieť, nemohol strácať čas. Zvážil situáciu a prišiel s geniálnou stratégiou. Poslal svojich husárov na nezvyčajnú misiu. Prikázal im čo najrýchlejšie jazdiť z jednej strany Berlína na druhú, a tak zmiasť obrancov mesta. Plán vyšiel a v Berlíne si mysleli, že na nich útočí obrovské vojsko.

Mesto sa dobrovoľne vzdalo a Hadík si ako víťaz vyžiadal zlato, peniaze, a navyše 12 párov rukavíc s vyšitým symbolom mesta Berlín pre svoju kráľovnú Máriu Teréziu.

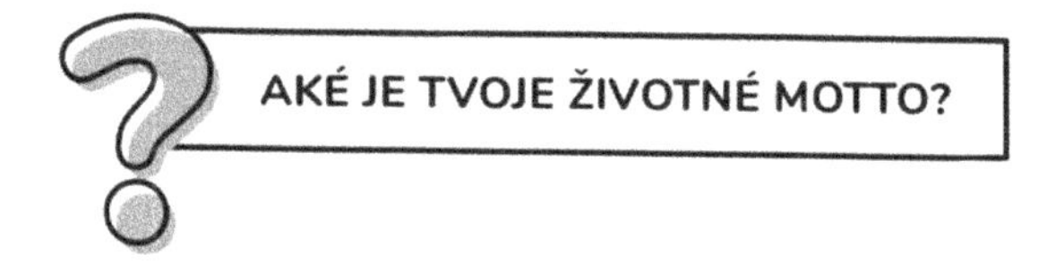

KLÁRA ŠTEFANOVIČOVÁ

In the 18th century, Slovakia was a part of the Kingdom of Hungary. You have probably heard of Maria Theresa. She ruled over the Austrian Empire at the time and Andrej Hadík served in her army. He was a member of the Hungarian nobility, but his family had Slovak origins.

Andrej was always a most courageous child and so nobody was surprised when he went on to become an officer in the royal army. It was the custom in aristocratic families that one son would become an officer, and Andrej was only too happy to be the one. *Virtuti nihil invium* (nothing can resist courage) became his life motto.

Andrej became famous during the Seven Years War which began in 1756. Back then, European countries and their kings were fighting for land, influence and power. The Habsburgs, led by Maria Theresa, stood against Prussia, a powerful kingdom in Northern Germany. In those days, the success of any campaign depended on the speed and stamina of horses, and the cleverness of its commanders.

It was in 1757 that Hadík masterminded the most famous Hussar operation in history. Hussars were the best trained cavalry soldiers in Europe, equipped with sharp swords and the fastest of horses. They were quick, smart and respected. Andrej Hadík was the chief military commander of a Hussar unit, when an opportunity came to make a bold move: take the Prussian capital of Berlin.

Hadík ordered his 5,000 strong troops to march to Berlin. Just as he had guessed, the Prussian king was taken by surprise because his armies were not in the city. They were fighting in battles elsewhere and the centre of Prussian power was left exposed. Andrej had to move fast to make the most of the situation. The Hussars rode rapidly from one side of Berlin to another, fooling the Prussian defenders into thinking that the city was under attack by a much bigger army. It was a brilliant manoeuvre.

Berlin surrendered and Hadík demanded the payment of a huge ransom in gold and cash, alongside a dozen pairs of gloves decorated with the Berlin city emblem as a gift for his Empress, Maria Theresa.

Andrej returned home a hero. Today you can find a statue of Hadík on his horse in Budapest, but few know about his Slovak roots. As you come closer you will notice that the horse's testicles are shiny yellow. Generations of students at the nearby university have rubbed them to bring them good luck in their exams.

CAN YOU THINK OF A GOOD MOTTO FOR YOURSELF?

...ZMENIL SVET SVOJÍM BOJOM ZA SLOBODU

...CHANGED THE WORLD BY FIGHTING FOR FREEDOM

DOMBÓVÁR / 1906 - 1945

Ján vždy vedel, čím chcel byť. Vojakom. Študoval na Vojenskej akadémii a pomaly stúpal v rebríčku hodností z poručíka na kapitána, až sa napokon v roku 1944 stal generálom slovenskej armády. Jeho kariérny postup sa však odohrával v ťažkých a nebezpečných časoch, ktoré si žiadali skutočných hrdinov.

Druhá svetová vojna spôsobila chaos a nivočila Európu. Nemecko prinútilo Slovensko vybrať si z dvoch možností – ostať „nezávislým" štátom kontrolovaným Nemeckom, alebo sa pričleniť k Maďarsku. Takto sa Slovensko dostalo pod nadvládu nacistického Nemecka a stal sa z neho tzv. bábkový štát. Nacistická vláda bola krutá a neúprosná. Nacisti vraždili všetkých, ktorí sa im opovážili protirečiť a deportovali desiatky tisíc Židov do koncentračných táborov.

Ján miloval svoju krajinu i slobodu. Nemohol sa len nečinne prizerať trápeniu a nespravodlivosti, ktoré sa diali v jeho domovine. V roku 1944 spravil najťažšie rozhodnutie svojho života – obetovať kariéru a postaviť sa na čelo povstania proti tyranskej vláde.

Ján Golian pomáhal organizovať Slovenské národné povstanie, začínajúc v Banskej Bystrici, kde bolo sídlo Veliteľstva pozemného vojska. Prevzal velenie nad operáciami a partizánmi na strednom Slovensku, a tak začal nemožný boj Dávida proti Goliášovi.

Do povstania sa zapájalo čoraz viac vojakov aj obyčajných ľudí. Spolu sa im podarilo získať kontrolu nad stredným Slovenskom. Slovenské národné povstanie bolo druhou najväčšou vzburou proti nacizmu v Európe.

Bohužiaľ, odveta Adolfa Hitlera, vodcu Nemecka, bola okamžitá a nemilosrdná. Hoci partizáni pod vedením Jána Goliana statočne bojovali v lesoch a pohoriach Slovenska, mali obrovskú nevýhodu oproti početnejšej a lepšie vyzbrojenej armáde svojho nepriateľa. Povstanie bolo potlačené.

Jána zajali v novembri 1944 a odviedli do väzenského tábora v Nemecku, kde bol popravený. Stal sa symbolom odvahy, boja proti bezpráviu a lásky k Slovensku, ktorú nedokázalo nič zničiť. Slovenské národné povstanie svetu ukázalo, že mnohí Slováci radikálne i za cenu vlastných životov odmietali Hitlera a fašizmus. Aj preto sa po vojne Slovensko mohlo postaviť na stranu víťazov a spoločne s Čechmi obnoviť Československo.

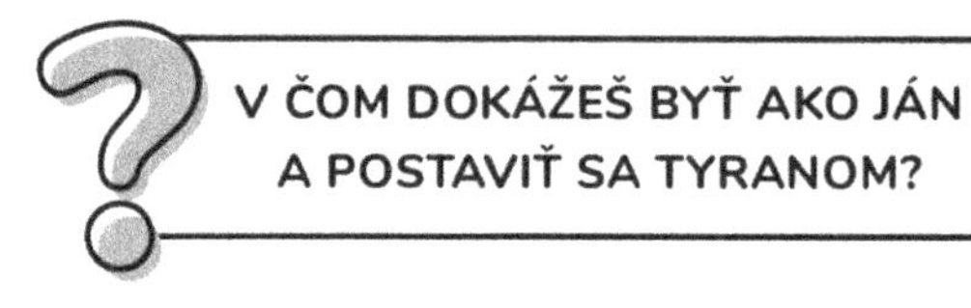

MASHA DAMBAEVA

Ján always wanted to be a soldier. He studied hard at the Military Academy and soon worked his way up the ranks as lieutenant and captain to become a general of the Slovak Army in 1944. But these were difficult and dangerous times that called for true heroes.

The Second World War brought chaos and destruction upon Europe. Slovakia was controlled by Nazi Germany, which compelled Slovakia to declare independence under German protection or else be incorporated into Hungary. A 'puppet government' which took orders from Nazi Germany was established in Bratislava. This government agreed to the deportation of tens of thousands of Jewish Slovaks to concentration camps where they were murdered.

Ján loved his country and he loved freedom. He could not look at the injustice that was happening around him. In 1944, he took the hardest decision of his life – to sacrifice his career and lead a rebellion against the tyrannical government.

The Slovak National Uprising that Ján helped organise began in Banská Bystrica, where it was headquartered. Ján Golian took command over the Slovak Forces in central Slovakia and ordered his fellow brave rebels to begin a battle against all odds.

Soon more and more soldiers and civilians joined the revolution and together the resistance fighters took control of central Slovakia. The Slovak National Uprising was the second largest revolt against the Nazis in Europe.

Sadly, the leader of Nazi Germany, Adolf Hitler, retaliated by flooding Slovakia with his troops. Ján led his guerrilla rebels, who fought bravely in the forests and mountains to free Slovakia, but they were at a great disadvantage – they had fewer weapons and even fewer men. In the end, the uprising was crushed.

Ján was captured in November 1944 and taken to a prison camp in Germany where he was executed. He became a symbol of courage and love of country that stopped at nothing in the face of injustice. The Slovak National Uprising showed that many Slovaks rejected Hitler's fascism. When the war ended, Czechoslovakia was considered to be part of the winning side of the Second World War because of such brave acts of resistance.

IN WHAT WAYS CAN YOU BE LIKE JÁN AND STAND UP TO BULLIES?

...ZMENILA SVET TÝM, ŽE SA POSTAVILA RODOVEJ NEROVNOSTI

...CHANGED THE WORLD BY CHALLENGING GENDER ROLES

GEMER / 1711 – 1772

Thomas Edison vynašiel fonograf v roku 1877. Bol to prvý stroj, ktorý dokázal nahrávať a reprodukovať zvuk. Ak chceme počúvať hudbu dnes, stačí si len zapnúť internet, ktorý nám ponúka nekonečný výber piesní.

V roku 1711, keď sa Panna Cinka narodila, o takýchto technológiách ľudia ešte ani nechyrovali. Ak chceli hudbu, museli nájsť hudobníkov, ktorí im ju zahrali. Preto si ľudia schopnosti a talent muzikantov nesmierne vážili.

Panna Cinka začala hrať na husle, keď bola ešte malé dieťa. Nemala ešte ani deväť rokov, keď bolo jasné, že má výnimočný talent husľového génia. Cesta ku snu však bola zahataná nespočetnými prekážkami. Panna Cinka pochádzala z rómskej rodiny. Nikto nenamietal voči jej láske k hudbe, ale od žien sa očakávalo, že budú spievať a tancovať. Hra na hudobné nástroje bola len pre mužov.

Pannu Cinku to však neodradilo. Tvrdo trénovala a neustále sa zlepšovala. Netrvalo dlho a chýr o jej hre na husliach sa rozniesol ďaleko za rodný chotár. Reči o zázračnom dievčati a jej husliach sa rýchlo šírili a Panna Cinka dokonca začala študovať na hudobnej škole v Rožňave. Aký neslýchaný úspech pre rómske dievča!

Škola dala mladej umelkyni krídla a ona si založila prvú skupinu, v ktorej hrali ostatní členovia jej hudobne nadanej rodiny. Navrhla im všetkým uniformy vo vojenskom štýle a počas hry na husliach rada fajčila fajku. Skupina hrala tradičnú ľudovú hudbu, ale vždy pridala aj niečo nové a nečakané. Obecenstvo bolo v tranze.

Nemysli si, že to bola obyčajná dedinská skupina, ktorá hrala na svadbách a pohreboch. Skupina vedená výnimočnou ženou s fajkou v ruke sa preslávila natoľko, že jedného dňa dostala pozvanie hrať vo Viedni pre cisársky dvor. Panna Cinka a jej blízki mali tú česť hrať v sieňach paláca pre samotnú cisárovnú Máriu Teréziu.

Panna Cinka zmenila pohľad ľudí na hudbu. Bola inovátorkou. Jej socha dodnes stojí v obci Gemer, na východnom Slovensku. Je jediná Rómka v histórii krajiny, ktorá má svoju vlastnú sochu.

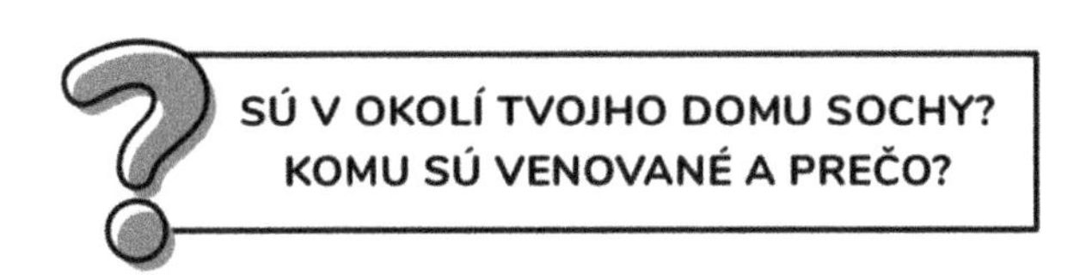

LUCIA GREJTÁKOVÁ

Thomas Edison invented the phonograph in 1877. This was the first machine which could record and reproduce sound. Nowadays, if we want to listen to music we can just switch on the internet, which offers an endless choice of songs.

When Panna Cinka was born in 1711, such technology did not exist. The only way to hear music was to have musicians play it live and therefore the skill of musicians was highly prized.

Panna Cinka started playing violin at a young age and by the time she was 9 years old, she was already showing signs of becoming a virtuoso violinist but there were many obstacles on the path to her dream. Panna Cinka was from a Roma family. It was fine to love music, but at that time it was expected that women would only dance and sing. Playing an instrument was for men only.

However, Panna Cinka would not let go of her ambition. She continued to practise and got better and better. She soon became known beyond her home village. News of a miraculous girl and her magical music spread across the region and she even gained a place at the music school in Rožňava, a very rare opportunity for a Roma girl.

The school gave her wings and Panna Cinka started a band with other members of her musical family. She designed their uniforms based on military styles and performed on her violin while smoking a pipe. The band played traditional folk tunes, but always added something new and unexpected. Audiences were entranced.

Don't think for a moment that this was an ordinary village band going around playing at weddings and funerals. This famed group of musicians led by a pipe smoking woman travelled all the way to imperial Vienna. The band was invited to play for the Empress Maria Theresa herself in the grand halls of her palace.

Panna Cinka changed how people saw music. She was an innovator. Today, she has a statue in Gemer, Eastern Slovakia. She is the only Roma person to have a statue built in her honour in the whole country.

ARE THERE ANY STATUES NEAR WHERE YOU LIVE? WHO DO THEY COMMEMORATE AND WHY?

...ZMENILA SVET TÝM, ŽE POSUNULA HRANICE MOŽNOSTÍ ĽUDSKÉHO HLASU

...HAS CHANGED THE WORLD BY EXTENDING THE POSSIBILITIES OF THE HUMAN VOICE

* BRATISLAVA / 1946 – 2021

Edita začala spievať ako malé dieťa v záhrade rodinného domu v Rači, v mestskej časti Bratislavy. Vyliezla na svoju obľúbenú hrušku a spievala, a spievala predstierajúc, že je na javisku impozantnej opery. V korune stromu sa zrodil jej veľký sen.

Umelci nemajú ľahký život, ale Edita bola odhodlaná neupustiť od svojich snov a podnikla všetko pre ich naplnenie. Šťastie praje odvážnym a Edita naozaj časom začala spievať v operách po celom Slovensku. Potom prišiel veľký moment a pozvanie do viedenskej opery. Bolo to na konci 60-tych rokov a budúcnosť vyzerala ružovo nielen pre ňu, ale i pre celú krajinu. Tvrdý komunistický režim poľavoval.

Nádej, žiaľ, vyhasla pod kolesami tankov. Cudzia armáda vpadla na územie Československa a pol milióna vojakov sa zrazu objavilo v uliciach miest. Toto smutné leto roku 1968 zastavilo všetky reformy a nastala normalizácia, ktorá opäť nastolila tvrdý režim. Sloboda a možnosť cestovať do zahraničia ostávali v nedohľadne. Slováci boli akoby za mrežami.

Život bez opery nebol žiadnym životom. Edite chýbala atmosféra, publikum a nádhera opery vo Viedni. Situácia v Československu sa zhoršovala, a preto sa Edita rozhodla v roku 1970 odísť. S dvoma kuframi v rukách opustila krajinu netušiac, či sa ešte niekedy vráti.

V cudzine smútila za Slovenskom, no keďže nebolo cesty späť, sústredila sa svoju kariéru a budúcnosť. Poctivá práca ju vyniesla až na samý vrchol rebríčka úžasnej viedenskej opery. Sedem rokov po svojom príchode očarila divákov neobyčajným hlasom, keď sa predstavila v hlavnej úlohe opery Ariadna.

Jej sláva sa odvtedy rozšírila do všetkých kútov. Edita je známa ako jedna z najlepších operných speváčok na svete. Jej výnimočný hlas má neuveriteľné rozpätie, vďaka čomu Edita dokáže dosiahnuť i tie najvyššie tóny a trilkovať ako slávik.

AKÝ JE NAJVYŠŠÍ A NAJNIŽŠÍ TÓN, KTORÝ DOKÁŽEŠ ZASPIEVAŤ? SKÚS TO.

KLÁRA ŠTEFANOVIČOVÁ

Edita began singing as a child in the garden of her home in Rača, a borough of Bratislava. She liked to climb up her favourite pear tree and pretend that she was on stage at a grand opera house. That is where a big dream was born.

The life of an artist is never easy. However, young Edita was determined not to give up and she did what she needed to make her dream blossom. Her effort was rewarded when she began to sing in operas around Slovakia and then came her big moment – a role with the Viennese opera. It was the late 1960s and the future looked promising, not just for her, but also for her country. Communist rule in Czechoslovakia was becoming more open.

All hope was crushed when Czechoslovakia was invaded by a foreign army of a quarter of a million soldiers. On a terrible summer night in 1968, a new government took power and the freedom to travel abroad was taken away. Slovaks were trapped.

A life without performing was no life at all. Edita dearly missed the atmosphere, audience and the beautiful opera house in Vienna. Things in Czechoslovakia went from bad to worse. That is why in 1970, Edita decided that enough was enough. She left her homeland carrying two suitcases in her hands.

Although she missed Slovakia, there was no going back and Edita focused on her future instead. She worked hard to climb the steep and tricky ladder of the world of Viennese opera. Seven years later, she astonished the foreign audience with the agility of her voice as the lead in the opera, Ariadne.

Her fame has since spread worldwide. She is revered as one of the world's greatest opera singers. Her extraordinary voice can reach the highest notes and hold them through elaborate runs, leaps, and trills like the most beautiful birdsong.

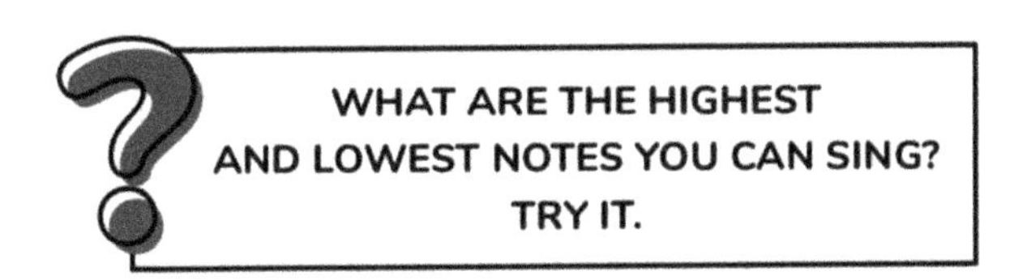

...ZMENIL SVET TÝM, ŽE SA STAL KRÁĽOM MADAGASKARU

...CHANGED THE WORLD BY BECOMING KING OF MADAGASCAR

✶ VRBOVÉ / 1746–1786

Móric Beňovský sa narodil do šľachtickej rodiny vo Vrbovom, neďaleko rieky Váh. Ako chlapec rád stával na jej brehoch a upieral svoj zrak na vlny rieky, ktorá tiekla do neznáma. Kam by ho mohla zaviesť? Aké dobrodružstvá by zažil?

Móric bol mladý, keď mu zomrela mama. Jej sedemnásť detí sa začalo hádať o majetok a peniaze. Nevedel, ako sa so situáciou vyrovnať, a dokonca sa uchýlil k násiliu. Pred väzením sa ukrýval na Spiši, kde sa pokúšal uvariť elixír večného života. Nepodarilo sa, no napriek tomu, život mal pre Mórica, ktorý sa nemal za čím vrátiť domov, pripravené iné dobrodružstvo.

Prvá cesta viedla do Poľska v roku 1769. Tu sa Móric pripojil k poľskej armáde a bojoval proti cárskemu Rusku. Dostal sa do zajatia a odtiaľ do väzenského tábora na polostrove Kamčatka vo východnom Rusku, 7 000 km od domova. Dnes tento vzdialený kút susedí s americkým štátom Aljaška. Život Mórica ťažko skúšal a on musel rýchlo vyrásť z rozmaznaného chlapca na skutočného muža.

Ruské väzenie bolo neľudské a tvrdé, a tak Móric vymyslel plán na útek. Spolu so svojimi priateľmi ukradol loď, ktorou sa doplavili do Macaa na pobreží Číny. Odtiaľ pokračovali ďalej do Francúzska naprieč šírym oceánom. Počas cesty navštívili mnohé krajiny, spoznali ich obyvateľov, dovtedy nepoznané kultúry.

Vo Francúzsku Móric s nadšením rozprával o slnkom zaliatych plážach a neznámych zvieratách, ktoré videl na jednom čarovnom ostrove. Tým ostrovom bol Madagaskar.

Móric sa do svojho ostrovného raja vrátil v roku 1773. Pracoval bok po boku s miestnymi pri stavbe miest, ciest a tovární. Možno cítil vinu za to, čo vystrájal v mladosti a chcel svoje chyby napraviť tým, že pomáhal druhým.

Túžba spoznávať v Móricovi nikdy neutíchla, a tak strávil zvyšok svojho života cestovaním a obchodovaním. Osud do zaviedol do Ameriky, Británie a naspäť na jeho milovaný Madagaskar, kde sa mu obyvatelia za pomoc odvďačili titulom „kráľ Madagaskaru". Aký rozprávkový úspech pre malého chlapca z Vrbového!

MÓRIC ZA SVOJHO ŽIVOTA NAVŠTÍVIL MNOHÉ KRAJINY. VIEŠ ICH NÁJSŤ NA MAPE? SKÚS NAKRESLIŤ TRASU JEHO CESTY.

LUCIA GREJTÁKOVÁ

Móric Beňovský was born into an aristocratic family and grew up in Vrbové near the River Váh. As a boy he would often stand and watch the never-ending flow of water and dream. Where could the river take him? What people could he meet? What adventures could he have?

Móric was still very young when his mother died leaving behind 17 children who started to argue over money. Móric had a hard time coping with the situation and he even turned to violence. To escape prison, he ran and hid himself in Spiš. That is where he tried to brew the potion of eternal life. That did not go well either, but luckily enough life had more adventures in store for Móric, who had nothing to return to at home.

His first journey took him to Poland in 1769 where he joined the Polish Army and fought in a war against Russia. He was captured and sent to a prison camp over 7,000 kilometres away in distant Kamchatka, the peninsula in East Russia that today borders with the American state of Alaska. It was not easy and Móric had to grow from a moody boy into a real man.

Life in a Russian prison was harsh and frustrating, which is why Móric organised an escape with some other inmates. He and his friends stole a boat and eventually sailed to Macao, on the coast of China. From there they sailed on to reach France. This entailed crossing a vast ocean and meeting many different people and strange cultures.

In France, Móric told people about a magical island he had seen, with golden beaches, endless sun and animals unknown to Europe. The island was called Madagascar.

Móric returned to his dream island again in 1773. He worked with the local people to build a town, roads, and a factory. He felt the need to correct the mistakes he had made in his youth by helping others.

The travel bug never left him and Móric Beňovský continued travelling and trading for the rest of his life. Destiny guided him to America, to Britain and back to his favourite island paradise where he was given the title, „King of Madagascar". What an achievement for a little boy from Vrbové!

MÓRIC TRAVELLED TO MANY PLACES IN HIS LIFE.
CAN YOU FIND THEM ON A MAP?
CAN YOU WORK OUT THE ROUTE HE TOOK?

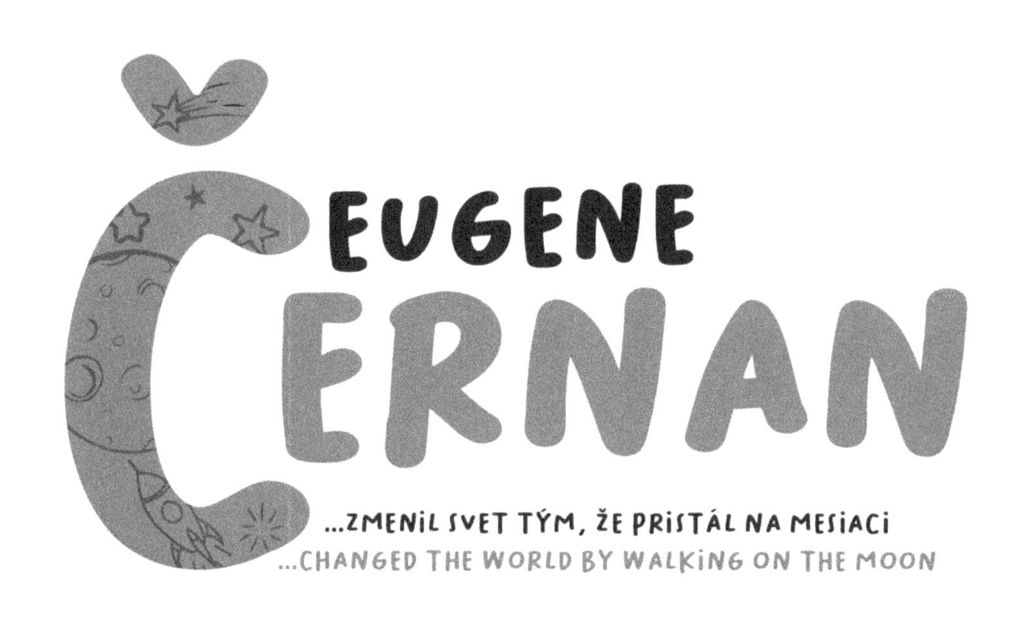

* CHICAGO, USA / 1934 - 2017

Kysuce odjakživa patrili k najchudobnejším regiónom na Slovensku. V minulosti tu bol život veľmi ťažký. Pestovať čokoľvek na Kysuciach bola výzva a ľudia nikdy nevedeli, či budú mať dosť jedla na zimu. Mnohí sa rozhodli z Kysúc odísť a hľadať šťastie inde.

Štefan Černan opustil svoju dedinu v roku 1900. Vo vrecku mal palubný lístok do Ameriky. Usadil sa v Chicagu, kde si našiel prácu tak, ako mnohí ďalší Slováci. Štefan bol tým najšťastnejším mužom pod slnkom, keď za ním v roku 1903 pricestovala jeho snúbenica Anna zo Slovenska. Mladý pár sa zosobášil, kúpil farmu v štáte Wisconsin a založil vlastnú rodinu.

Štefanov vnuk Eugene sa od starého otca naučil húževnatosti a tvrdej práci. Pomáhal mu na rodinnej farme, opravoval stroje a po večeroch počúval príbehy o Slovensku. Eugene mal osem rokov, keď USA vstúpili do druhej svetovej vojny. Ako chlapca ho každý deň obkolesovali správy o odvážnych bitkách a hrdinoch a Eugen sníval o tom, že aj on raz pôjde v ich šľapajach.

Filmy o nebojácnych pilotoch len utužili jeho odhodlanie a jedného dňa svojej rodine oznámil, že jeho najväčším snom je lietať. Napokon skutočne letel, ale oveľa ďalej ako si kedy dokázal predstaviť.

Eugena fascinovala veda a technológie. Vedel, že nebo nemá hranice. Na vysokej škole vynikal spomedzi ostatných študentov a stal sa pilotom. On však túžil po niečom oveľa väčšom a prihlásil sa do NASA.

Kozmonaut Eugen Černan v roku 1972 viedol poslednú výpravu s ľudskou posádkou na Mesiac. Tri dni skúmal mesačný povrch a zbieral vzorky. Mesiac nemá atmosféru, nefúka tam, a ani neprší, a teda stopy, ktoré na povrchu Mesiaca Eugen Černan zanechal, sú stále tam!

Eugene veril veľkým snom, a aj preto sa stal Slovákom, ktorý docestoval zo všetkých najďalej.

POZRI SA NA MESIAC VOĽNÝM OKOM ALEBO TELESKOPOM. ČO VIDÍŠ? PREČO MESIAC NA OBLOHE NEUSTÁLE MENÍ TVAR?

NASA
NATASA STEFUNKOVA

The northwestern region of Slovakia has always been one of the poorest in the country. Life there was very hard in the past. It was not easy to grow food and the people never knew for sure that they had enough food to last through the long winters. Many decided to leave in search of a better life somewhere else.

Štefan Černan left his village in 1900 and sailed to America. Once there, he made his way to Chicago, where he decided to settle. He found work in the mines like so many of his fellow Slovaks. He was delighted when Anna, his fiancée from Slovakia, joined him in 1903. The young couple married, bought a small farm in Wisconsin, and started a family of their own.

Štefan's grandson Eugene learned to be resilient and to work hard from his father and grandfather. He helped out on the family farm, learned how to tinker with machines, and listened to stories about his beloved Slovakia in the evenings. When Eugene was 8 years old, America entered the Second World War. The young boy was surrounded by heroic stories of brave pilots and impossible battles, and his desire to follow in their footsteps stirred in his heart.

Watching films about heroic fighter pilots, Eugene said to his family: "My dream is to fly!" and fly he did – much further than he could have ever imagined. Fascinated by science and technology, Eugene knew that the sky was NOT the limit. He excelled at university and became a pilot. That was still not enough and so Eugene applied to become an astronaut for NASA.

In 1972, Eugene Černan led the last manned mission to the Moon. He spent three days exploring its surface and collecting rock samples. And because the Moon has no wind, no water and no atmosphere, his footprints are still there!

Eugene believed in big dreams and to this day he is the Slovak who travelled the furthest.

LOOK AT THE MOON, MAYBE WITH A TELESCOPE. WHAT CAN YOU SEE? WHY DOES IT CHANGE SHAPE?

MOŠOVCE / 1793–1852

Ján Kollár bol súčasne talentovaným básnikom i archeológom. Ako archeológ skúmal pozostatky starobylých civilizácií a ako básnik hovoril o svojej láske k rodnej krajine a národu.

Preslávil sa lyricko-epickou básňou *Slávy dcera*. Takéto básne sú zvyčajne rozsiahle diela plné úžasných príbehov o veľkých hrdinoch a hrdinkách. Tu je zopár riadkov zo slávnej básne:

„Stokráte sem mluvil, teď už křičím
k vám, rozkydaní Slavové!
Buďme celek a ne drobtové,
buďme aneb všecko, aneb ničím."
(Zpěv III. Dunaj, sonet č. 337)

Kolár napísal tieto verše v roku 1824. Slovania, to boli Slováci, Česi, Poliaci, Chorváti a mnohé ďalšie národy, ktoré v tom čase neexistovali ako samostatné krajiny. Títo ľudia žili v jednej z troch veľkých ríš: v Rakúsku, Uhorsku alebo Prusku. Kollár bol presvedčený, že slovanské kmene toho veľa navzájom spájalo. Toho, čo mali spoločné bolo viac ako toho, čo ich odlišovalo. Napokon, túto ideu potvrdzoval aj jeho archeologický výskum dávnych civilizácií.

Kollár sa zanietene venoval otázke spoločného československého jazyka. Všimol si, že Česi a Slováci si navzájom rozumejú a dúfal, že spojenie ich jazykov a národných identít ich posilní natoľko, že spolu budú môcť budovať vlastný nezávislý národ. Väčšina ľudí však chcela aj naďalej používať reč, ktorou hovorili odjakživa, a preto sa Kollárovi nepodarilo presvedčiť dosť Čechov a Slovákov, aby si osvojili jeho verziu „československčiny".

Tam, kde Kollár neuspel, triumfoval o čosi neskôr Ľudovít Štúr, ktorý po prvý raz kodifikoval slovenský jazyk. Základom tejto slovenčiny bol jazyk, ktorý ľudia skutočne používali. Kollárova myšlienka o československej identite znova ožila v 20. storočí. Vtedy sa tieto dva národy spojili a vytvorili Československo, ktoré existovala takmer 75 rokov.

POZNÁŠ SLOVO, KTORÉ JE ROVNAKÉ V RÔZNYCH JAZYKOCH? PREČO JE TO TAK?

NATASA STEFUNKOVA

Ján Kollár combined the skills of an archaeologist and a poet. As an archaeologist he explored the remains of ancient civilisations and as a poet he expressed his love of his homeland and his people. He is famous for writing the epic poem, Slávy dcera ("The Daughter of Sláva"). Epic poems are usually quite long and tell tales of great heroes and heroines. Here are some lines from his most famous poem ...

A hundred times I spoke, but now I call
To you divided, O Slavonians!
Let's be a whole and not a part in clans;
Be one in harmony or not at all.

When Kollár wrote this, in 1824, the 'Slavonians', Slovaks, Czechs, Poles, Croatians etc. did not have independent countries of their own. These people lived in parts of larger Austrian, Hungarian, Russian, or German empires. Kollár's idea was that the different Slavic people had a lot more similarities than differences. His archaeological work provided evidence of ancient cultures which supported this idea.

Kollár was particularly interested in the idea of a Czechoslovak language. He had seen that Czechs and Slovaks could understand each other quite easily, and he hoped that by combining their language and national identity, they would be strong enough to build an independent nation. However, most ordinary people felt more comfortable using the words they were used to, and he could not persuade many Czechs or Slovaks to start using his combined 'Czechoslovak' language.

Kollár's failure led to the later efforts by Ľudovít Štúr to codify the Slovak language, based on the way people actually spoke. However, Kollár's idea of a Czecho-Slovak identity returned in the 20th century when the two nations combined to form a Czechoslovak state which lasted for almost 75 years.

DO YOU KNOW ANY WORDS WHICH ARE THE SAME IN DIFFERENT LANGUAGES? WHY DO YOU THINK THIS HAPPENS?

TOMÁŠ MASARYK

...ZMENIL SVET TÝM, ŽE PREJAVIL NAOZAJSTNÚ ODVAHU

...HAS CHANGED THE WORLD BY SHOWING TRUE COURAGE

* SKALICA / 1979

„Som Tomáš Masaryk a vo svojom živote som sa dvakrát narodil.“

Čo to znamená? Ako sa môže niekto narodiť dvakrát?

Tomáš Masaryk často hovorí, že na tomto svete žije dva životy v jednom. V tom prvom bol úspešný futbalista a hral pre tie najlepšie slovenské kluby ako Spartak Trnava, Inter Bratislava či Senica. Splnil sa mu detský sen. Mal dokonca ponuku prestúpiť do špičkového francúzskeho futbalového tímu v Lille. Užíval si život mladého športovca so skvelou budúcnosťou.

Jedného dňa sa však dvadsaťdvaročnému Tomášovi život v zlomku sekundy navždy zmenil. Cestou na futbalový tréning počas predbiehania dostal defekt a auto sa mu vymklo spod kontroly. Zišlo z cesty a šesťkrát sa vo vzduchu otočilo. Tomáš vyletel bočným oknom von a našli ho o 40 metrov ďalej. Na miesto nehody sa ihneď ponáhľali záchranné zložky, no privolaní záchranári nepredpokladali, že by niekto mohol také vážne zranenia prežiť. Tomáša previezli v kritickom stave do nemocnice, kde počas bdelej kómy lekári bojovali o jeho život. Zistili, že mal vážne poranenú chrbticu a narušenú miechu. Tomášovo vyšportované telo bolo však dostatočne silné a v dobrej kondícii, aby mladý muž náročné chvíle prekonal. Po troch týždňoch sa prebudil do novej reality. A toto je začiatok toho, čo Tomáš nazýva svojím druhým životom.

Nasledovalo mnoho týždňov a mesiacov, kedy Tomáš bojoval sám so sebou a s faktom, že už nikdy nebude chodiť. Časom si uvedomil, že má iba dve možnosti. Buď stratiť nádej a poddať sa, alebo sa cez to preniesť a žiť najlepšie, ako to bude možné. Láska rodičov mu pomohla posunúť sa ďalej. Nabral silu, a najmä odhodlanie nevzdať to.

Po štyroch rokoch každodenného boja Tomáš v sebe opäť našiel cestu k športu. Hľadal niečo dynamické, podobné futbalu, kde by mohol uplatniť svoju súťaživosť. V spolupráci s ľuďmi zo Slovenského paralympijského výboru a Slovenského zväzu telesne postihnutých športovcov si vybral tenis. Bola to pre neho nová a vzrušujúca výzva. Chopil sa šance a odvtedy vyhral množstvo národných i medzinárodných turnajov a precestoval svet ako reprezentant Slovenska.

Postupom času si Tomáš vybudoval úspešnú kariéru aj ako motivačný rečník. Na jeho vystúpenia prišli desaťtisíce ľudí, aby ho počuli a zažili. Preto, prenechajme posledné slová jemu...

„Nie každý pád znamená koniec života...
Žijem svoj druhý život s úsmevom a s možnosťou o ňom rozprávať aj vám. Aby si sa ani ty necítil sám. Aby si aj ty videl, že to fakt ide. Aby som ťa možno trochu inšpiroval, nakopol, povzbudil. Život si treba užívať a nie prežívať."

AKÉ NOVÉ ŠPORTY SI SA NAUČIL HRAŤ?
V AKÝCH ŠPORTOCH VYNIKÁŠ?

KLARA STEFANOVIČOVÁ

„*I am Tomáš Masaryk and in my life I was born twice.*“

What does this mean? How can someone be born twice?

Tomáš Masaryk often says that he has lived two lives during his lifetime. In his first life he was a successful footballer playing for some of the best teams in Slovakia; Spartak Trnava, Inter Bratislava, and Senica. There was even talk of a possible move to a top French football team in Lille. Tomáš was enjoying life as an athletic young man with a bright future.

Then, one day, at the age of 22, Tomáš was driving to training when something happened and changed his life forever. A tyre burst as he was overtaking another vehicle, his car spun out of control, left the road, and flipped over six times. Tomáš was thrown out and landed 40 metres away. Ambulances hurried to the scene. The first medics to arrive presumed that no one could survive such severe injuries.

Tomáš was rushed to hospital in a critical condition. Doctors found that his back was broken and the nerves connecting his brain to his legs were damaged. Tomáš slipped into a coma as the medical team struggled to keep him alive. However, Tomáš was an athlete and had enough strength and fitness to pull through. After three weeks he awoke to a new reality. This was the beginning of what Tomáš calls his second life.

There followed some long weeks and months as Tomáš fought with himself and the fact that he would never be able to walk again. He realised that there were only two options; he could either lose hope and give in, or he could push through to live the best life possible. He had the love of his family and he burned with determination.

After 4 years of daily struggle Tomáš found his way back to sport. He was looking for something as dynamic as football where he could channel his competitive spirit. Working with people from the Slovak Paralympic Association and Slovak Association of Disabled Athletes, he chose tennis. It was a new and exciting challenge in his life. He has since won many national and international tournaments and travelled the world as a representative of Slovakia.

Tomáš has also built a successful career as a motivational speaker. Tens of thousands of people have come to his events to hear his story. Let's leave the final word to him.

"A fall does not have to be the end of the world. Hopefully, seeing me will assure you that what you are trying to achieve can be done. I am happy to inspire, ignite, and encourage people who need it. Life is to be lived, not endured."

WHICH NEW SPORTS HAVE YOU LEARNED TO PLAY? WHICH SPORTS ARE YOU GOOD AT?

ĽUDOVÍT ŠTÚR

...ZMENIL SVET UZÁKONENÍM SPISOVNEJ SLOVENČINY

...CHANGED THE WORLD BY CODIFYING THE SLOVAK LANGUAGE

UHROVEC / 1815 – 1856

Ľudovít Štúr sformoval slovenský jazyk a ten sformoval Slovensko. Znie to trochu ako trojitá záhada, však?

Prvou časťou tejto záhady je samotný Ľudovít Štúr. Miloval jazyky a ovládal latinčinu, nemčinu, gréčtinu, maďarčinu i mnohé ďalšie. V roku 1836 začal učiť v Bratislave a rozvíjať svoj záujem o Slovensko a o históriu Slovákov. Štúr chcel pre Slovákov len to najlepšie a hnevalo ho, keď videl nespravodlivosť, ktorej sa Slovákom dostávalo zo strany maďarskej vládnucej triedy. Tá im bránila používať svoj jazyk a zveľaďovať kultúru.

V tej dobre ľudia používali rôzne nárečia podľa toho, kde žili. Štúr vedel, že na to, aby slovenský ľud mal budúcnosť, potreboval jednotný slovenský jazyk pre všetkých. Otázkou bolo, ako to dosiahnuť? Ľudovít sa chopil tejto výzvy a v roku 1840 spísal pravidlá slovenského jazyka. Samozrejme, Slováci si už predtým navzájom rozumeli, ale nevedeli sa zhodnúť na pravopise a gramatických pravidlách. Preto Štúr vytvoril systém, ktorý tento problém vyriešil. Uzákonil prvý spisovný slovenský jazyk a my sme spolu rozlúskli druhú časť záhady.

Tretia časť spočíva v tom, že kodifikáciou slovenského jazyka dal Štúr ľudu vlastnú národnú identitu a priestor na vyjadrenie svojich myšlienok. Ľudovít a jeho najbližší priatelia boli srdcom slovenského národného obrodenia, ktoré vydávalo noviny a časopisy v novej slovenčine. V nich prostredníctvom básní, príhovorov a piesní uverejňovali žiadosti o národné práva a väčšiu nezávislosť pre Slovákov. Štúr ich práva bránil aj na pôde uhorského parlamentu v Bratislave a v rokoch 1848-1849 viedol slovenské národné hnutie s cieľom dosiahnuť autonómiu Slovenska v rámci Uhorska.

V decembri 1855 bol Štúr s priateľmi na poľovačke v lesoch neďaleko svojho domu v Modre. Keď chcel pri pochôdzke preskočiť priekopu, pošmykol sa a pri páde mu zbraň vystrelila. Zranila mu nohu a rana po guľke sa zapálila. Ľudovít pár týždňov nato zomrel a možno si vtedy myslel, že vo svojich snahách o lepšie Slovensko zlyhal.

Slovensko zostalo súčasťou Uhorska a jeho slovenčinu nielenže neprijala uhorská štátna mašinéria, ale ani mnohí Slováci sa s ňou nevedeli zžiť. Napriek všetkému to ale neskôr bolo celkom inak...

Ľudovít Štúr položil nielen základy modernej slovenčiny, ale aj národa a inšpiroval generácie patriotov.

„Moja krajina je môj život, každú chvíľu mojej existencie venujem len jej."

PREČO BOL JAZYK TAKÝ DÔLEŽITÝ V BOJI O NÁRODNÉ PRÁVA?

MASHA DAMBAEVA

Ľudovít Štúr made the Slovak language, and the Slovak language made Slovakia. This sounds like a riddle in three parts.

The first part is Ľudovít Štúr himself. He was very good at learning languages. He learned Latin, German, Greek, Hungarian and many other languages. In the 1830s, he became a teacher in Bratislava and developed an interest in the history of the Slovak people. Štúr wanted Slovaks to rise and prosper, but he was frustrated by the injustices and unfairness at the hands of the Hungarian ruling class, who did not allow his people to speak Slovak and practise their culture.

Secondly, at this time, people used different versions (dialects) of the Slovak language, depending on where they lived. Štúr knew that Slovakia needed one shared language if it was to have a future. But how do you make a language? Ľudovít thought deeply about this question and, in the 1840s, wrote down the rules of Slovak. Of course, people in Slovakia already spoke Slovak to each other, but they disagreed on how to spell words or the correct rules of grammar. Štúr created a system that answered these questions and 'codified' the Slovak language.

This brings us to the third part of the riddle. By making the Slovak language, Štúr gave the people a sense of national identity and a way to share ideas. Štúr and his followers in the Slovak National Awakening movement produced newspapers in this codified language, in which they made demands for the greater independence of Slovakia. They spread their message through poems, speeches, and songs. Štúr even became a member of the Hungarian parliament, where he spoke out for Slovak rights in Bratislava. He was also active in the 1848-1849 movement to achieve autonomy for Slovakia within Hungary.

In December 1855, while Štúr was out hunting with friends near his home in Modra, he jumped over a small obstacle and accidentally fired his gun. The bullet entered his leg and the wound became infected. When he died a few weeks later, he may have thought that he had failed. Slovakia was not independent and Štúr's Slovak language was not fully accepted by Slovaks, let alone the Hungarian authorities.

However, he had made a language and inspired generations of patriots. He had begun to build a nation.

"My country is my being, and every hour of my life shall be devoted to it."

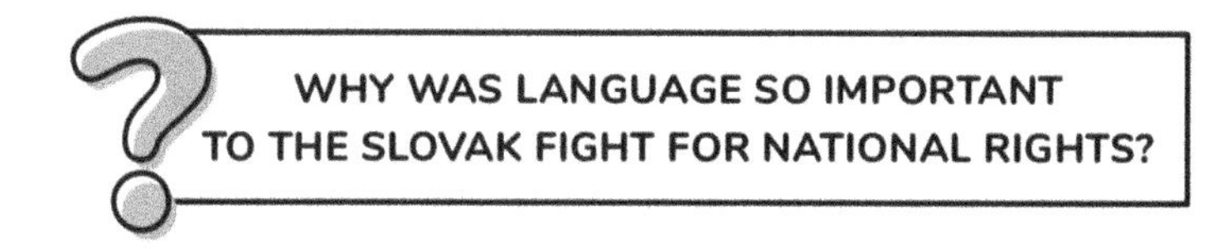

...ZMENIL SVET SVOJOU STATOČNOSŤOU A DÔSTOJNÝM ŽIVOTOM

...CHANGED THE WORLD BY ACTING WITH DIGNITY AND COURAGE

SKALICA / 1929 - 2016

„Zastavte! *Kto sa pohne, ten zomrie!*" Pri týchto slovách Antona Srholca zamrazilo. Díval sa priamo do hlavne pohraničníka.

V noci 13. apríla 1951 pršalo. Dážď pomáhal stlmiť kroky malej skupinky ľudí, ktorá smerovala k rieke Morava. 21-ročný Anton bol medzi študentmi a kňazmi, ktorí sa cez rieku chceli prebrodiť do Rakúska. Utekali z komunistického Československa, kde sa nemohli beztrestne stať kňazmi. Skupinka sa vyhýbala dedinám a pomaly si razila cestu vpred naprieč zablatenými poľami. Sloboda bola na dosah. Potom prišlo chvíľkové zaváhanie, keď sa skupina nevedela dohodnúť, ako a kde prekročiť rozvodnenú rieku ... a zlovestné kliknutie zbrane. Sen sa rozplynul.

Anton Srholec bol odsúdený na 12 rokov vo väzení, ktoré mal stráviť tvrdou prácou v jáchymovských uránových baniach. Spolu s 20 000 ďalšími väzňami drel v neľudských podmienkach hlboko pod zemou. Padajúce skaly, jedovaté plyny, radiácia a špina. Hoci nebezpečenstvo číhalo na každom kroku, utrpenie nedokázalo zlomiť Antonovho ducha. Útechu nachádzal v súdržnosti, viere a presvedčení, že každý človek bol stvorený ako slobodná bytosť. Takto prešlo 10 rokov.

Antona prepustili z väzenia v 60-tych rokoch. Bol na slobode, ale jeho meno zostalo na čiernej listine a to znamenalo, že mohol zabudnúť na dobrú prácu. Kňazom sa tiež nemohol stať, a tak sa zamestnal v ostravských oceliarňach. Ani dlhé hodiny v továrni či na stavbách ho neodradili od jeho sna. Anton sa v tajnosti pripravoval na kňazstvo a o päť rokov neskôr bol vysvätený za kňaza. Dostal dokonca povolenie vycestovať z Československa a ísť do Ríma, kde ho vysvätil pápež. Namiesto toho, aby ostal v bezpečí za hranicami Československa, vrátil sa domov, aby slúžil ľuďom. Po celý čas ho sledovala tajná polícia a hľadala zámienku na zákaz vykonávať kňazské povolanie. Pre komunistov bol príliš nebezpečný. Báli sa viery a jej moci.

Po páde železnej opony v roku 1989 sa Anton vrátil ku svojmu povolaniu a rozhodol sa venovať najzraniteľnejším členom spoločnosti. Založil útulok pre bezdomovcov, spolupracoval s Konfederáciou politických väzňov Slovenska a svoje skúsenosti a múdrosť vkladal do písania kníh.

Otec Srholec bol milovaným kňazom, spisovateľom, politickým väzňom a človekom, ktorý s láskou slúžil druhým. Dotkol sa sŕdc tisícov ľudí. Dával im odvahu, aby dobré skutky konali, nielen o nich rozprávali.

JE TO, ČO ROBÍŠ DÔLEŽITEJŠIE AKO TO, ČO HOVORÍŠ? PREČO / PREČO NIE?

DÁVID MARCIN

"Halt! *Anyone who moves is a dead man!*" Anton Srholec froze in his tracks as the border guard raised his rifle.

It was raining on the night of April 13th, 1951, which helped to mask the sound of a small group of people making their way to the River Morava. Twenty one year-old Anton was among the students and priests trying to cross the river to reach Austria on the opposite bank. They wanted to escape from communist Czechoslovakia, where they could not go to church and pray without being punished. Avoiding villages, the group struggled through muddy fields to finally reach the river. Freedom was on the other side, just a stone's throw away. There was a moment's hesitation, disagreement on whether to cross and then .... the click of a border guard's rifle. The dream was over.

Anton Srholec was sentenced to imprisonment with hard labour in the Jachymov uranium mines in Bohemia. There, alongside 30,000 men he worked in filthy, dangerous conditions, deep under the ground. Danger lurked everywhere – falling rocks, poisonous gases and radiation. Anton was suffering, but nothing could break his spirit. He found joy in the solidarity he shared with his friends, his religion, and his belief that 'man carries freedom within'. Ten years passed.

Anton was released in the 1960s. He was free, but his name was on a black list, which meant he could not get the kind of work he wanted. Becoming a priest was not an option, so Anton found work at the steel-works in Ostrava. The long hours spent on the factory floor and construction sites did nothing to deter him from his dream. Anton studied in secret and took his priestly vows five years later. He was even granted permission to leave Czechoslovakia and travel to Rome to be ordained as a priest by the Pope. He returned to practise his spiritual service in Czechoslovakia instead of staying safe abroad. It was not easy. Anton was watched all the time by the Secret Police who wanted an excuse to banish him from preaching forever. The state considered him dangerous because it was scared of the power of faith.

When the Iron Curtain collapsed in 1989, he returned to his spiritual practice, and chose to dedicate his attention to the most vulnerable members of society. He founded a shelter for the homeless, but also worked with the Slovak Confederation of Political Prisoners, while channelling his rich life experience into several books.

Father Srholec was a beloved priest, writer, charity worker, and former political prisoner who positively impacted the lives of thousands. He encouraged people to act, not just preach, in the name of goodness.

IS WHAT YOU DO MORE IMPORTANT THAN WHAT YOU SAY? WHY / WHY NOT?

ANNA JURKOVIČOVÁ

...ZMENILA SVET TÝM, ŽE INŠPIROVALA ŽENY

...CHANGED THE WORLD BY INSPIRING WOMEN

NOVÉ MESTO NAD VÁHOM / 1824 – 1905

Anna sa narodila v Novom Meste nad Váhom v roku 1824. Jej život ovplyvnili dve veľké vášne. Pripojila sa k hnutiu, ktoré žiadalo národné práva pre Slovákov, a zároveň bojovala za rovnoprávnosť žien.

Anna našla podporu vo svojom otcovi, pokrokovom učiteľovi a bojovníkovi za Slovensko. Mama jej zomrela, keď mala Anna len osem rokov, ale otec robil, čo mohol, aby jeho piatim deťom nič nechýbalo. Naučil ich písať, čítať a byť hrdými na to, kým sú.

Z Anny vyrástla nezávislá a odvážna mladá žena. Milovala divadlo a túžila sa stať herečkou, pretože vedela, že javisko nemusí byť len prostriedkom zábavy. Vďaka divadlu bolo možné šíriť odkaz slobody pre národ aj pre ženy. Otázkou bolo, ako na to? Divadlu totiž vládli muži, ktorí hrali aj ženské úlohy. Úlohou žien bolo zostať doma a starať sa o deti.

Anna napokon predsa len ako sedemnásťročná debutovala na divadelnom javisku. Spoločnosť ju za to nemilosrdne kritizovala. Začali sa o nej šíriť klebety a Anna do konca života musela čeliť predsudkom, ktoré ju isto boleli. Napriek všetkému sa však Anna v ten deň zapísala do histórie. Stala sa prvou slovenskou herečkou.

Anna bola rebel a bolo len otázkou času, kedy stretne Ľudovíta Štúra a jeho skupinu revolucionárov. Padla do oka Jozefovi Miloslavovi Hurbanovi, ktorý bol blízkym Štúrovým priateľom. Tomu sa láska medzi Annou a Jozefom vôbec nepozdávala. Odrádzal svojich stúpencov od žien a svadby, lebo sa bál, že láska spomalí, či dokonca ohrozí revolúciu. Jozef však bol beznádejne zaľúbený a s Annou sa napriek všetkému oženil.

Láska pár posilnila v boji za slobodu a práva Slovákov. Jozef s podporou svojej manželky pomohol v rokoch 1848-1849 sformovať odvážne *Žiadosti slovenského národa*, ktoré volali po väčšej nezávislosti Slovenska. Štát vnímal tento krok ako provokáciu a na Štúra a jeho spolupracovníkov, vrátane Jozefa, bol vydaný zatykač.

Mladá rodina sa musela skrývať a bola odsúdená na pretĺkanie sa životom. Anna sa ale nikdy nevzdala. Herectvo sa stalo jej nástrojom na vzdelávanie chudobných. Pomáhala Slovákom tým, že ich učila o slobode a právach. Svoje srdce vložila do boja za právo žien stať sa tým, po čom túžia.

ČO PRE TEBA ZNAMENÁ ‚SLOBODA'?

LUCIA GREJTÁKOVÁ

Anna was born in Nové Mesto nad Váhom in 1824. Her life would be shaped by two great causes. She would join the movement demanding more rights for the Slovak nation, and she would campaign for greater equality for women.

It was her father, a progressive school teacher and crusader for the Slovak cause, who encouraged Anna's ambitions. Her mother had died when Anna was only 8 years old, but her father did all he could to be both mum and dad to his five children. He taught them all to read and write, and to be proud of who they were.

Anna blossomed into an emancipated and courageous young woman. She loved acting, but she knew theatre was not just a source of entertainment. She could use it to spread the message of freedom - for her nation and for her gender. But how to do it? Theatre was dominated by men. Men even played female roles because women were expected to be good wives and good mothers and not much more.

Anna eventually made her stage debut at the tender age of 17 and was mercilessly criticised by society. Gossip spread, and for the rest of her life she had to face painful prejudices. But Anna also made history on that day. She became the first Slovak actress.

Anna was a rebel and it was just a matter of time before she met Ľudovít Štúr and his group of revolutionaries. She caught the eye of Jozef Miloslav Hurban, one of Štúr's closest friends. But Štúr discouraged his followers from getting married. He thought that women would slow down the revolution. Yet, Jozef was hopelessly in love and married Anna anyway.

Love only emboldened the couple and Anna joined in the struggle for the freedom of Slovaks. Supported by his wife, Jozef co-wrote the daring 'Demands of the Slovak Nation' in 1849 which demanded greater independence for Slovaks. The authorities saw this bold move as a provocation and an arrest was issued for Štúr and his companions, including Jozef.

The young family was forced to hide and was destined to struggle thereafter, but Anna never gave up. She used acting as a means to educate the poorest members of the population. She wanted to empower Slovaks by telling them about their rights and freedoms. She also fought for a woman's right to be whatever she chooses to be.

WHAT DOES THE WORD 'FREEDOM' MEAN TO YOU?

ADELA VINCZEOVÁ

...ZMENILA SVET TÝM, ŽE UKÁZALA SILU KOMUNIKÁCIE

...HAS CHANGED THE WORLD BY SHOWING THE POWER OF COMMUNICATION

* BRATISLAVA / 1980

Ako dieťa si Adela neuvedomovala, že by jej rodina bola nezvyčajná. Narodila sa v roku 1980, za čias komunizmu, maliarke a diplomatovi. Otcova práca zaviedla rodinu do východného Nemecka, kde bolo všetko nové a vzrušujúce.

Adela si pamätá, ako ju raz mama poslala na nákup. Mala len päť rokov, v ruke nákupný zoznam a nehovorila po nemecky. Predavačka si prečítala zoznam, podala Adele nákup a vrátila jej drobné, aby sa malé dievča mohlo víťazoslávne vrátiť domov. Misiu zvládla úspešne. Adele však chvíľu trvalo, kým si zvykla na nový domov i cudzí jazyk. Len málo ľudí malo v tých časoch možnosť cestovať a žiť v zahraničí tak, ako jej rodina.

Potom jedného dňa Adelini rodičia oznámili, že sa vracajú na Slovensko. Práve padla železná opona a krajina bola odrazu plná nádeje na lepší život. Adela sa vrátila do slovenskej školy a neskôr si vybrala štúdium na slovenskej univerzite. Po promóciách sa pýtala, čo ďalej.

Bola vo svojom živle, keď mala v ruke mikrofón. Rada vystupovala, zhovárala sa s ľuďmi a rozhodla sa, že to je práve to, čo chce robiť. Prečo nie? Nemala čo stratiť.

Konkurencia v šoubiznise je nemilosrdná, ale štastie bolo na Adelinej strane. Ako šesťnásťročná sa dostala do celonárodnej show Teleráno. Adela bola ešte stále tínedžerka, keď sa stala spolumoderátorkou show v rádiu. To je skutočne pôsobivé!

Verejnosť si Adelu obľúbila a nasledovali ďalšie príležitosti, až napokon prišiel veľký moment. Účinkovanie v televízii. Dostala ponuku uvádzať televízny program, hudobnú súťaž *Slovensko hľadá SuperStar*, ktorá Adelu preslávila po celom Slovensku. Show bola zaradená do hlavného vysielacieho času a spravila z Adely hviezdu. Každá domácnosť spoznala jej tvár.

Adela má návod na úspech. Nechává život plynúť a vždy je vďačná za každú prekvapivú príležitosť, ktorá jej príde do cesty. Vraví sa, že tí, ktorí nasledujú svoju vášeň a robia to, čo majú radi, si získajú priazeň štasteny. Zdá sa, že v Adelinom prípade je to skutočne tak.

ZADÁVAŠ SI CIELE? ČO BY SI CHCEL DOSIAHNUŤ?

MASHA DAMBAEVA

As a little girl, Adela did not realise how unusual her family was. She was born in 1980 during the communist era to an artist mother and a diplomat father. Because of her father's work, the family moved to East Germany where everything was new and exciting. It took a while for Adela to get used to a new city, country and language. Very few people could travel and live abroad like her and her family.

Adela remembers her mother giving her a shopping list to buy groceries. She was just five years old and did not speak German. The shopkeeper read the list, got the items, and counted out the change for her to victoriously return home mission accomplished. And yet, she missed Slovakia and her friends.

Can you imagine how happy Adela was when her parents told her that they were returning? It was after the fall of communism and everyone in the country was hopeful. Adela returned to Slovak schools and graduated from a Slovak university. And now what?

Adela really felt happy with a microphone in her hands. Performing and talking to people brought her joy, so she decided to give her dream a try. What was there to lose?

Competition is tough in show business. It took a great deal of effort for Adela to make her mark, but she did not mind because this was the only thing that she had ever felt that she wanted to do. She learnt from each challenge and, thanks to her perseverance, successes started to come to her. Adela was still very young when she hosted her first radio show. More and more opportunities followed and then a huge breakthrough happened.

Adela received an invitation to co-host a TV show. The singing contest *Czecho-Slovak Superstar* that made her into a star and a household name in Slovakia.

What is the secret behind Adela's success? She says she tries to set herself goals and always pays attention to life and the people around her.

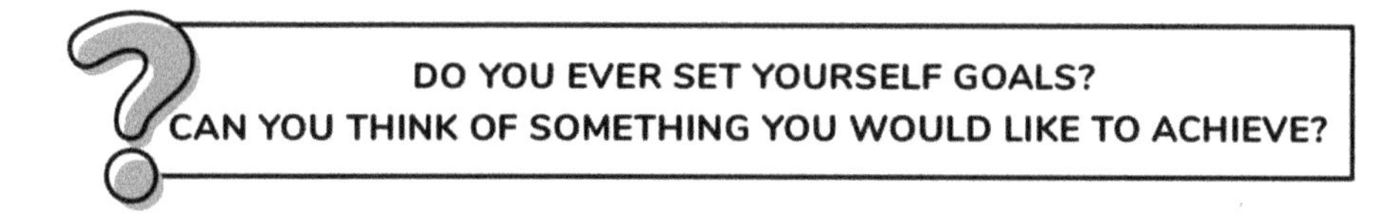

...ZMENIL SVET SVOJIMI ROZPRÁVKAMI

...CHANGED THE WORLD BY BRINGING BEDTIME STORIES TO GENERATIONS OF CHILDREN

* SLAVOŠOVCE / 1828 – 1885

„Kde bolo, tam bolo....". Každé dieťa vie, že týmito slovami sa začína rozprávka o princeznách, drakoch, čaroch, bosorkách či kráľoch. Vždy má šťastný koniec, lebo dobro zvíťazí nad zlom.

Pavol Dobšinský miloval rozprávky až tak veľmi, že sa vydal na cestu hľadať a zozbierať tie najlepšie. Chodil z dediny do dediny a pýtal sa ľudí na ich obľúbené príbehy. Pozorne počúval, zapisoval a zbieral rozprávky. Medzi inými Pavol zaznamenal aj príbeh *Soľ nad zlato*, v ktorom sa kráľ nahneval na svoju dcéru, pretože mu povedala, že ho ľúbi ako soľ. Kráľ ju vyhnal z domu a na kráľovstvo upadla kliatba. Zmizla z neho všetka soľ. Ľudí čoskoro unavili neslané jedlá bez chuti a kráľ až vtedy pochopil, aká je soľ vzácna a aká múdra je jeho dcéra. Na konci sa princezná vrátila aj so soľou, ktorej bolo navždy dosť pre všetkých. Kráľovstvo bolo zachránené a všetci žili šťastne, až kým nepomreli.

Keď Pavol zozbieral dosť príbehov, vznikla prvá zbierka slovenských rozprávok. Nájdete tam *Janka Hraška* aj *Dvanástich mesiačikov*. Dobšinského rozprávky sa stali jednými z najpopulárnejších slovenských kníh. Jeho slová a príbehy už po generácie šteklia detskú predstavivosť. Keď deti vyrastú, čítajú tieto rozprávky svojim deťom a spoločne spoznávajú tradície a zvyky slovenského vidieckeho života, tešiac sa z nádeje, že dobro napokon vždy porazí zlo. Možno aj tebe čítali rodičia alebo starí rodičia rozprávky, ktoré Pavol kedysi dávno pozbieral.

Dnes Pavla Dobšinského poznajú všetci, ale v 19. storočí sa mu ľudia vysmievali, že mrhá svoj čas. Nechápali jeho túžbu zachovať čarovné príbehy pre budúce generácie. On vedel, že rozprávky nie sú len slová. Tieto príbehy uchovávajú starodávnu múdrosť ľudí, ktorí žili na Slovensku. Dnes sú Dobšinského rozprávky pokladom a vzácnym darom, ktorý rodičia odovzdávajú deťom a tie zasa svojim deťom.

Tak ako princezná z rozprávky *Soľ nad zlato* poznala skutočnú hodnotu soli, tak aj Pavol vedel, že ľudové rozprávky sú neoceniteľné.

AKÁ JE TVOJA OBĽÚBENÁ ROZPRÁVKA?

NATASA STEFUNKO

"Once upon a time there was....". Every child knows this is the start of a fairy tale, that these words will lead them into an enchanted world of magic, princesses, dragons, castles, witches and kings where good overcomes evil.

Pavol Dobšinský loved fairy tales so much that he made it his own heroic quest to travel from village to village throughout Slovakia asking ordinary people to tell him their favourite stories. He listened carefully, noting down the details of tales such as *Salt over Gold*. In this story, a king becomes angry with his daughter for comparing her love for him to her love of salt. The king banishes her, but his kingdom is soon cursed by a lack of salt. His people grow tired of tasteless, unsalted food, and even begin to have health problems due to the lack of it. The king begins to understand how valuable mundane salt is and also realises the wisdom of his daughter. She eventually returns with a never-ending supply of salt, and they all live happily ever after.

When he had collected enough tales, Pavol put this story together with other favourites such as *Johnny Little Pea* and *The Twelve Months* into a collection of Slovak Fairy Tales that has been one of the all-time most popular books in the Slovak language. His words have fired the imaginations of generations of Slovak children. And the cycle continues, as parents who were once children put their children to bed with Pavol's fantastical tales. Passing on glimpses of traditional village life, morals, and enjoying the triumph of good over evil. Maybe your parents and grandparents used to love listening to these tales.

Pavol is famous and loved today, but in the 1880s most people laughed at Pavol Dobšinský's fairy tale quest. They wondered why this grown man was wasting his time on children's stories. But Pavol knew that the tales were more than just a story. They held the ancient wisdom of the Slovak people. Today, they are a national treasure and a precious gift passed from one generation to the next.

Just as the princess in *Salt over Gold* saw the real value of salt, Pavol understood the real value of traditional folk tales.

WHAT IS YOUR FAVOURITE FAIRY TALE?

...ZMENIL SVET SVOJIMI FOTOGRAFIAMI ŽIVOTA NA SLOVENSKU

...CHANGED THE WORLD BY CAPTURING THE RHYTHMS OF SLOVAK LIFE

★ LIPTOVSKÝ PETER / 1913 – 2004

Pozri sa dobre na túto čiernobielu fotografiu. Osamotená silueta muža, ktorý kráča po hrebeni kopca. Nesie kosu. Možno ide pracovať na pole. V ruke má akúsi nádobu. Možno si v nej nesie obed, aby vydržal pracovať celý deň. Pod ním sa v diaľke ligocú strechy chalúp a z ich komínov stúpa dym. Čím pozornejšie sa zadívaš na fotografiu, tým hlbšie ťa vtiahne do života na slovenskom vidieku, ktorý zachytil Martin Martinček.

Akoby tá fotka bola z rozprávky, však? Martin Martinček so svojím fotoaparátom dokázal zázraky. Tradičný život na Liptove fotil viac ako 60 rokov. Jeho čiernobiele fotografie odhaľujú tvrdý, ale poctivý život na vidieku, ktorý sa po stáročia nemenil.

Martin sa narodil v čase, keď bolo Slovensko ešte súčasťou Rakúsko-Uhorska. Zažil založenie Československa, Slovenského štátu i opätovné obnovenie spoločného štátu Čechov a Slovákov. Dožil sa aj slovenskej samostatnosti, ktorá prišla v roku 1993. Martin prežil dve svetové vojny a socializmus. Toľko zmien, a napriek tomu sa zdá, akoby sa v jeho fotografiách zastavil čas.

Po druhej svetovej vojne do Martinovho života zasiahol krutý osud. Pri nehode stratil všetkých, ktorých miloval. Zahynula jeho žena, otec i dvaja synovia. Po nástupe komunistického režimu Martin prišiel ešte aj o prácu v parlamente. Nasledovalo väzenie a mučenie.

Utrápený sa vrátil do svojich rodných hôr a našiel si prácu na kuracej farme. Znova sa oženil a začal fotografovať. Možno mu fotoaparát pomáhal vyliečiť zlomené srdce...

Dnes sú jeho fotografie veľkou vzácnosťou, pretože nám približujú, ako sa kedysi žilo.

ODFOŤ NIEČO, ČO PODĽA TEBA REPREZENTUJE SLOVENSKO.

DÁVID MARCIN

Take a close look at this black and white photograph. A solitary figure walks over the brow of a hill. He is carrying a scythe, so perhaps he is on his way to work in the fields. In his left hand he holds a container – it could be his lunch to get him through his day of hard work. Far below in the distance, the early morning sunlight glints off the huddled roofs of the houses in a small town. Smoke rises from a chimney. The more we study the photograph, the further we are drawn deeply into the Slovakia of Martin Martinček's photography.

Doesn't it look like a fairy tale? That is the kind of magic that Martin Martinček could do with his camera in black and white pictures. He photographed the traditional way of life in the Liptov region for more than 60 years. His pictures show a hard, honest and simple life lived in the Slovak countryside by people for many centuries.

Martin was born when Slovakia was still a part of Austria-Hungary. He saw it turn into Czechoslovakia, then into the Slovak State, then back into Czechoslovakia, and he was there when Slovakia gained its independence in 1993. Martin lived through the World Wars and he witnessed the communists taking power. So many changes, but the everyday life in Martin's photographs is timeless.

After the Second World War, a tragedy befell Martin's life. He lost everyone he loved in a terrible accident. His wife, his two young sons and his father all died. He lost his job in parliament when the communists took power in Czechoslovakia, and he was also imprisoned and tortured.

Martin eventually returned to his mountains where he took a job at a chicken farm, married again, and started to take photographs almost every day. Perhaps taking photos was Martin's way of healing his wounded heart. Today they are priceless. They show what life was in those times.

IF YOU WERE TO TAKE A PHOTOGRAPH REPRESENTING SLOVAKIA, WHAT WOULD BE IN IT?

PAVOL ORSZÁGH HVIEZDOSLAV

...ZMENIL SVET SVOJIMI PRECÍTENÝMI BÁSŇAMI

...CHANGED THE WORLD BY WRITING POEMS OF GREAT POWER AND BEAUTY

✶ VYŠNÝ KUBÍN / 1849 – 1921

Je v tvojom meste Hviezdoslavova ulica? Na Slovensku je viac ako 100 ulíc s týmto menom. Prečo tak veľa? Dôvod je jednoduchý. Hviezdoslav je označovaný aj ako „slovenský Shakespeare", pretože jednoznačne patrí medzi najlepších slovenských básnikov.

Pavol Országh sa narodil vo Vyšnom Kubíne na Orave v roku 1849. Miloval jazyk, hru so slovami a poéziu. Mal veľkú predstavivosť, a tak si občas vymýšľal nové slová, ktoré dokonale vystihovali jeho pocity.

Pavol hovoril troma jazykmi – maďarsky, nemecky a slovensky. Vo svojich básňach oslavoval krásu slovenskej prírody. Prvé verše napísal v maďarčine, no keď ich svojej mame predstavil, rozplakala sa. Nevedela si synovu báseň prečítať, lebo nerozumela po maďarsky.

Vtedy sa Pavol zaprisahal, že už bude písať len po slovensky. Sľub spečatil provokatívnym pseudonymom (fiktívne meno, pod ktorým písal) „Hviezdoslav". Je to slovanské meno, ktoré znamená Slovan hviezd.

Pavol miloval svoju krajinu a chcel, aby v nej všetci boli šťastní. Neveril však, že sa to dá dosiahnuť vojnou a tým, že proti sebe budú bojovať ľudia rôznych národov. Bol presvedčený, že musí existovať iný spôsob, že rozdiely možno vyriešiť vzájomnou komunikáciou.

Keď sa v roku 1914 začala prvá svetová vojna, mnohí sa tešili, lebo si mysleli, že to bude veľké dobrodružstvo. Mladí muži dobrovoľne vstupovali do armády a básnici písali patriotické verše, ktoré mali ľuďom dodať odvahu bojovať za svoju vlasť. Pavol mal iný názor. Vedel, že vojna môže priniesť len utrpenie a biedu.

Počas prvých mesiacov vojny napísal *Krvavé sonety*, kde varoval pred „ľudskými jatkami", v ktorých „národ oborí sa na národ". Pavol sa nemýlil. Vojna mala strašný dopad na všetkých. On však o tom nemohol písať, pretože jeho verše a názory boli pokladané za vlastizradné. Uzreli svetlo sveta, až keď krviprelievanie skončilo. Až potom Slováci spoznali múdrosť jeho slov.

PREČO SI PODĽA TEBA PAVOL ZVOLIL PSEUDONYM „HVIEZDOSLAV"? AKÉ MENO BY SI SI VYBRAL PRE SEBA TY?

KLÁRA ŠTEFANOVIČOVÁ

Is there a Hviezdoslavová ulica (Hviezdoslav Street) in your town? In total there are more than 100 streets named after Hviezdoslav in Slovakia. And there is a very good reason for it; he is considered the „Slovak Shakespeare".

In 1849, Pavol Országh was born in Vyšný Kubín, Orava. He is recognised as one of Slovakia's greatest national poets. He loved language, wordplay and poetry. He was so imaginative that sometimes he even invented new words to describe exactly what he felt.

Pavol could speak three languages Hungarian, German, and Slovak, and in his poems he celebrated the natural beauty of his country. His first poems were written in Hungarian, but when his mother cried because she could not read her son's words, he took a vow. He would write in Slovak from then on. To make a point, he chose a very provocative pseudonym (a fictional name) „Hviezdoslav", meaning The Star of the Slavs.

Although Pavol was a poet who loved his homeland and wanted to see it free and happy, he did not think that people from different nations should fight each other. There is always another way – that of talking to each other to resolve differences.

When the First World War began in 1914, many people across Europe celebrated what they thought would be a great adventure. Young men volunteered to join the military and some poets wrote patriotic poetry, encouraging people to fight for their country. Pavol was different. He knew that wars only bring misery and suffering.

In his *Bloody Sonnets*, written in the first month of the World War I, Pavol warned of a "human slaughterhouse" in which "nations will destroy nations". He was right about the terrible impact of the fighting, but he was not allowed to publish these poems during the war, as they were considered traitorous. But after, when the bloodshed was over, Slovaks discovered his verses and the wisdom of his words.

WHY DO YOU THINK PAVOL CHOSE THE NAME „HVIEZDOSLAV"? WHAT NAME WOULD YOU CHOOSE FOR YOURSELF?

...ZMENIL SVET TÝM, ŽE MU UKÁZAL TO NAJLEPŠIE ZO SLOVENSKÉHO HOKEJA

...CHANGED THE WORLD BY REPRESENTING THE BEST OF SLOVAK HOCKEY

✶ DUBNICA NAD VÁHOM / 1974 – 2011

Slováci milujú šport, ale zo všetkého najradšej majú ľadový hokej. Na Slovensku ťažko nájdete chlapca, ktorý tajne nesníva o tom, že sa raz stane hokejistom.

Pavol Demitra bol jedným z nich. Jeho nadšenie sa vyrovnalo jeho zmyslu pre disciplínu. Mladý Pavol bol od radosti celý bez seba, keď dostal ponuku hrať za svoj miestny klub ako profesionál. A to bol iba začiatok.

Z Dubnice sa dostal do Trenčína a odtiaľ do NHL. Do svojho tímu si ho vybral klub Ottawa Senators. Pavlovi sa splnil sen! Rozprávková kariéra pokračovala, keď prestúpil do klubu St. Louis Blues. Práve tu jeho talent zažiaril v plnej nádhere. Spolu s Michalom Handzušom, Ľubošom Bartečkom a neskôr s Ladislavom Nagyom vytvoril slávnu a obávanú družinu, ktorú doplnila ďalšia slovenská hviezda – Peter Šťastný. Slováci držali spolu a pomáhali si.

Demitra hral v prestížnych zámorských kluboch 16 rokov. Podpísal multimiliónové zmluvy, jeho talent si v Amerike vážili a fanúšikovia ho milovali. Slovenská sláva prišla až počas zimných olympijských hier vo Vancouveri v roku 2010.

Pavol mal na hrudi slovenský dvojkríž, keď dal víťazný gól v nervydrásajúcich nájazdoch proti národnému tímu Ruska. Slovensko burácalo od nadšenia a oslavovalo svojho skromného hrdinu s prívetivým úsmevom.

Pavol dobre vedel, že na svete sú dôležitejšie veci ako sláva, peniaze či počet gólov. Zo všetkého najviac si vážil štedrosť a vôľu podeliť sa o šťastie s druhými. Podporoval chlapcov na Slovensku a pomáhal im plniť si sny na ľade. Bol džentlmen, tímový hráč a pracant, ktorý šíril dobré meno Slovenska široko ďaleko.

Všetci sa tešili, že slovenský hokejový tím viedol na majstrovstvá sveta v roku 2011 práve Pavol Demitra. Boli to jeho posledné majstrovstvá v národných farbách. Po lícach mu tiekli slzy, keď sa po poslednej hre lúčil s fanúšikmi. Vtedy ešte nikto netušil, že to nebol len koniec jeho aktívnej hokejovej kariéry. O niekoľko mesiacov neskôr Pavol tragicky zahynul pri leteckom nešťastí v Rusku.

Slovensko smútilo. Pavol nebol len hokejovým hrdinom, ale predovšetkým priateľom, skvelým vzorom a dobrým človekom.

VIDEL/A SI NIEKEDY HOKEJOVÝ ZÁPAS?
KTO JE TVOJ NAJOBĽÚBENEJŠÍ HRÁČ?

C
DAVID MARCIN

Slovaks love sports, but ice hockey has a special place in their hearts. There is hardly a boy in the country who does not dream of becoming a hockey player. Pavol Demitra was one such boy and he had the discipline to match his enthusiasm. The young man was thrilled when he got drafted into his local ice hockey club as a professional. It was just the beginning of his luck.

From Dubnica nad Váhom, the calling took him to a bigger club in Trenčín and then, when the stars aligned, he was drafted into the North American League (NHL) by the Ottawa Senators. His dream was coming true and came to fruition when he was traded to the St. Louis Blues. It was there that he played his best hockey and formed a famous Slovak line with Michal Handzuš, Ľuboš Bartečko and later Ladislav Nagy. The sensational cluster of champions was arranged by another Slovak great – Peter Šťastný. This is how the boys from Slovakia looked out for one another.

Demitra played for prestigious NHL clubs for 16 years. He signed multimillion-dollar contracts, his talent was celebrated, and fans loved him, but Slovak stardom came during the Vancouver 2010 Olympics, the biggest celebration of sport in the world.

Wearing the Slovak double cross on his jersey, Pavol scored the winning goal during a sensational seven round shoot out against Russia. Everyone in Slovakia was up on their feet, cheering, screaming, jumping for joy and celebrating the humble hero with a warm smile.

It was all wonderful but Pavol knew that there was something more important than money, medals, or number of goals scored. It was generosity and the will to share his good fortune with others. Pavol supported boys in Slovakia to help them make their dreams on ice happen. He was a gentleman, a team player, and a hard worker, who helped to spread the good name of Slovakia far and wide.

To the delight of all, Pavol led the Slovak team into the 2011 World Hockey Championships as captain. It was his last championship wearing the Slovak national colours, as he was planning to retire. After this last game, he tossed his equipment to lucky fans, while tears rolled down his cheeks. A moment so powerful there was almost no dry eye left in the arena, or among the millions watching live on TV. No one knew that this was not just the end of his national hockey career. Later that year, Pavol's life ended in a tragic plane crash in Russia.

All of Slovakia mourned the loss. Pavol was not just an ice hockey hero, he was a friend, an idol, and a good man.

HAVE YOU EVER SEEN A HOCKEY MATCH? WHO IS YOUR FAVOURITE PLAYER?

...ZMENILA SVET TÝM, ŽE ŽENÁM DALA ODVAHU PÍSAŤ

...CHANGED THE WORLD BY EMPOWERING WOMEN TO WRITE

✶ ZVOLENSKÁ SLATINA / 1857–1942

V 19. storočí svetu vládli muži. Mali dominantné postavenie v kultúre, literatúre, politike i vede. Len málo žien sa odvážilo snívať o kariére a nasledovať svoje sny a túžby. Od dám sa očakávalo, že budú dobrými matkami a život zasvätia starostlivosti o rodinu.

Terézia sa narodila v roku 1857 do sveta nerovnosti. Bola v poradí siedmym dieťaťom a musela sa prizerať, ako sa jej bratom dostáva privilégií všetkého druhu. Chodila síce do školy, ale mohla sa venovať len predmetom, ktoré boli vhodné pre dievčatá.

Teréziu nezaujímala spoločenská etiketa či vyšívanie, chcela sa učiť o umení, vede a filozofii. Čo viac, túžila písať. To, že väčšinu kníh, ktoré boli o mužských hrdinoch, napísali muži, ju nemohlo zastaviť.

Keďže jej nikto nechcel so vzdelaním pomôcť, musela si poradiť sama. Vyrastala v Rakúsko-Uhorsku a vedela po maďarsky, nemecky i po slovensky. Čítala knihy vo všetkých týchto jazykoch, čo jej veľmi prospelo. Kníh napísaných po slovensky totiž veľa nebolo.

Nie všetci ale zdieľali Tereziino nadšenie. Jej otec a mama sa obávali, že zvláštne záľuby ich dcéry poškodia jej šance na vydaj. Bola to len jedna z mnohých výziev, s ktorými sa Terézia musela vysporiadať, ak chcela myslieť, písať a žiť život po svojom.

V roku 1889 napísala svoju prvú knihu. Bol to veľký úspech, lebo *Sirota Podhradských* bola prvým slovenským románom, ktorý napísala žena o ženách a pre ženy. Hrdinkou románu je Viola a podobá sa na Teréziu. Viola je silná žena, ktorá robí vlastné rozhodnutia a napráva krivdu a nespravodlivosť, ktoré vidí okolo seba. Kniha musela mladé ženy, ktoré ju čítali, povzniesť a potešiť. Konečne im, ich starostiam a problémom niekto rozumel!

Vansová sa však nezastavila pri písaní románov. Založila prvý slovenský časopis pre ženy *Dennica* a aktívne sa podieľala na činnosti ženského spolku Živena. Celý život bojovala za právo slovenských žien na vzdelanie vo vlastnom jazyku.

Terézia Vansová žila tak, aby bola príkladom pre všetky ženy. Podporovala ich a dokazovala im, že aj ony majú na to byť umelkyňami, spisovateľkami a mysliteľkami. Terézia razila cestu dievčatám a ženám, aby si mohli slobodne vybrať kariéru v akejkoľvek oblasti.

POZNÁŠ PRÍBEH, KTORÉHO HLAVNÝM HRDINOM JE ŽENA?

NATASA STEFUNKOVA

In the 19th century, the world was dominated by men and so was literature, politics and science. Very few women dared to dream about a career, following a passion or a desire. Ladies were expected to be good mothers and to look after the family.

Terézia was born in 1857 and grew up in this world of inequality. She was the seventh child of her parents and had to watch on as her older brothers were given priority over her in everything. She went to school, but she could only study the subjects thought appropriate for girls.

Terézia was not interested in etiquette and embroidery, rather she wanted to learn about art, science and philosophy. Above all, she wanted to write herself. It did not put her off that men had written most books she read and they were usually the heroes in those books too.

If no one else was going to do it, then Terézia would educate herself! She was raised in Austria-Hungary and could speak Hungarian and German, as well as Slovak. She could read books in all of those languages, which was very helpful because the selection of books available in Slovak was limited.

Not everyone was happy about her passion. Terézia's father and mother feared that the strange pursuits of their daughter would make her unmarriable. It was just one of many challenges that she would face, because she was a woman who wanted to think, write and speak for herself.

In 1889, Terézia Vansová wrote her very first book. This was a big deal, because *Podhradský's Orphan* was the first Slovak novel written by a woman, for women, and with a woman in the leading role. Viola, the heroine of the book, is similar to Terézia. She is a strong woman who makes her own decisions and challenges the unfairness that she sees around her. The young women who read the book must have been so exhilarated. At long last, someone understood and spoke about what bothered them.

But Vansová's mission did not end there, as she became the founder and editor of the first Slovak women's magazine, *Dennica* (Morning Star) and was also active in the Slovak Women's Association, Živena. All her life she championed the right of Slovak women to be educated in their mother tongue.

Terézia Vansová led by example and showed that women can be brilliant thinkers, artists and writers. She made it possible for girls to follow their careers in whatever area they choose.

...ZMENILA SVET SILOU SVOJHO DUCHA

...HAS CHANGED THE WORLD BY DEMONSTRATING THE POWER OF THE HUMAN SPIRIT

* TURANY NAD ONDAVOU / 1956

Marika Gombitová je kráľovnou slovenského popu. Získala mnoho ocenení a spievala pred divákmi na preplnených štadiónoch na Slovensku aj v zahraničí. Slováci ju majú tak veľmi radi, že si Mariku zvolili za jednu z dvadsiatich najväčších Slovákov všetkých čias. Ľudí si získala nielen svojou hudbou, ale aj príbehom.

Marika mala odmalička rada hudbu. Chodila na hodiny klavíra a pripojila sa k viacerým hudobným skupinám, aby mohla experimentovať so svojím hlasom. Tvrdá práca sa jej vyplatila. V roku 1975 sa Marika po prvýkrát objavila na televíznej obrazovke a nahrala svoju prvú pieseň. Jej sláva rástla astronomickou rýchlosťou. Každý Slovák pozná jej baladu *Vyznanie*.

Marika koncertovala pred vypredanými hľadiskami a súťažila na medzinárodných podujatiach. Prišli aj pozvania na VIP oslavy a do televíznych relácií. Život bol zábava, ale potom prišla osudová studená noc v decembri 1980. Keď sa Marika vracala domov z koncertu, jej auto havarovalo na ľadom pokrytej ceste. Jej svet sa v okamihu zmenil.

Utrpela vážne zranenia a poškodila si chrbticu. Usmievavá mladá žena plná života, zrazu zostala ochrnutá. Lekári jej povedali, že už nikdy nebude chodiť.

Bola to zdrvujúca rana osudu, no Marike nezabránila žiť svoj sen a spievať ďalej. Musela tvrdo pracovať na tom, aby opäť získala svoj hlas a postupným zdokonaľovaním sa jej to podarilo. Jej hlas bol ešte krajší, ako pred nehodou.

Marika je symbolom statočnosti a najžiarivejšou hviezdou na slovenskom popovom nebi.

AKÉ ŤAŽKÉ SITUÁCIE SI MUSEL/A PREKONAŤ TY?

MASHA DAMBAEVA

Marika Gombitová is the 'Queen of Slovak pop music'. She has won many awards and has sung in front of full stadiums all over the country and beyond. Slovaks love her so much that she was voted one of the top 20 greatest Slovaks of all time. It is not just because of her music but also because of her extraordinary story.

Marika's love of music started when she was just a little girl. As a child she studied piano at the music school in Stropkov. As a teenager, she joined various bands and started to experiment with her extraordinary singing voice. All her hard work was rewarded when she first appeared on TV and recorded her first songs in 1975. Her fame began to grow beyond her wildest dreams. Everyone in Slovakia knows and loves her song *Vyznanie*.

A string of sold out concert halls, international song contests, VIP parties and TV shows came and went. Life was fun, but then on a cold windy December night in 1980, Marika's car crashed on an icy road on the way back from a concert. It was then that her world and life changed forever. Marika was badly injured and her spine was damaged. The smiling young woman so full of life was now paralysed from the chest down. She was told that she would never walk again.

It was devastating but Marika refused to stop singing. She worked hard and tried different techniques to get her voice back, until it grew into an even more beautiful sound than before.

In Slovakia, Marika is a symbol of bravery and the brightest star of Slovak pop music.

WHAT TOUGH SITUATIONS HAVE YOU HAD TO OVERCOME?

...ZMENILA SVET NOVÝMI ODRODAMI RUŽÍ

...CHANGED THE WORLD BY DEVELOPING NEW TYPES OF ROSES

DOLNÁ KRUPÁ / 1946

Máriino celé meno je grófka Henrieta Hermína Rudolfína Ferdinanda Mária Antónia Anna Chotková z Chotkova a Vojnínu. Ľudia si ju však pamätajú ako „grófku ruží".

Mária sa narodila v roku 1863 do šľachtickej rodiny v Dolnej Krupej pri Trnave. Nikdy sa však necítila doma vo vyberanej spoločnosti dám a pánov z radov aristokracie. Svoj čas radšej trávila v ružovej záhrade ako na ligotavých večierkoch, kde sa preberali najnovšie klebety.

Koncom 19. storočia Mária zdedila kaštieľ v Dolnej Krupej a založila ružový sad. Nebola to obyčajná ružová záhrada, ale vedecké centrum, ktoré sa špecializovalo na kultiváciu nových odrôd ruží. Práve to bola Máriina záľuba.

Vedel si o tom, že prenesením peľu z kvetu jednej ruže na kvet inej ruže a jeho následným opelením, je možné vytvoriť novú odrodu, ktorá má prenikavejšiu vôňu, sýtejšiu farbu alebo je odolnejšia voči škodcom?

Máriine ruže chodili obdivovať ľudia z celej Európy. Ich nezvyčajná krása získala Márii mnoho medailí a ocenení. Na vrchole slávy jej však do života zasiahlo nešťastie. V roku 1914 zavraždili v Sarajeve Máriinu sesternicu Žofiu a jej manžela. Nebol to nik iný ako následník rakúskeho trónu, veľkovojvoda František Ferdinand. Tento atentát bol začiatkom krvavej prvej svetovej vojny, ktorá uvrhla Európu do chaosu.

Mária neváhala a prihlásila sa ako dobrovoľníčka do Trnavy, kde ošetrovala zranených vojakov. Na polievanie ruží nebol čas a keď sa Mária po skončení vojny vrátila do Dolnej Krupej, našla svoj ružový sad v zlom stave. Pokúsila sa navrátiť slávu zašlých dní, ale povojnové roky boli ťažké. Pôdu bolo treba na pestovanie jedla, nie ruží.

Mária sa snažila vrátiť život do normálnych koľají, ale potom prišla ďalšia svetová vojna. Zničila všetko, čo zostalo z nádherného sadu i kaštieľa. Podobný osud zasiahol mnohé rodiny aj z iných kútov sveta.

Bola to smutná kapitola dejín. Napriek tomu však Mária robila všetko, čo bolo v jej silách, aby urobila svet krajším a nežnejším. Jej meno bude navždy zapísané v mnohých odrodách ruží, ktoré sú venované jej pamiatke.

POZRI SA ZBLÍZKA NA KVET RUŽE. Z KOĽKÝCH ČASTÍ POZOSTÁVA?

KLÁRA ŠTEFANOVIČOVÁ

Mária's full name was Countess Henrieta Hermína Rudolfína Ferdinanda Marie Antonie Anna Chotková of Chotkov and Vojnín, but to most people she was known simply as, the 'Rose Countess'.

Mária was born into an aristocratic family in Dolná Krupá near Trnava in 1863. However, Mária never felt completely comfortable in the glittering world of high society gatherings. She much preferred the company of roses to the gossip circles of the sophisticated ladies and gentlemen of her class.

In the 1890s, Mária inherited the family manor house at Dolná Krupá and set to work establishing a rosarium. This was not just a beautiful rose garden but also a centre of scientific expertise in the cultivation of roses. Mária's special interest was in the development of new types of roses.

Did you know that by taking pollen from one flower to fertilise the seed of another it is possible to produce a new variety of rose? One which may be more fragrant, more disease resistant, more unique in shape, and more bountiful in colour than its predecessors.

Mária's roses attracted admirers from all across Europe and she was honoured with prizes for their extraordinary beauty. She was at the height of her fame when disaster struck in 1914. Mária's cousin Sophie and Sophie's husband, Archduke Franz Ferdinand of Austria, were assassinated in Sarajevo. These murders sparked the First World War and Europe descended into chaos.

Without hesitation, Mária volunteered as a nurse caring for wounded soldiers in Trnava. There were more important things to do than watering roses, and so by the time she returned home at the end of the war, her rosarium was in a dire state. Mária tried to revive the glory days of Dolná Krupá, but in the tough post-war years, land was needed to grow food not roses.

She tried to make the most of her life, but was struck by devastation again when the Second World War erupted. It destroyed what had remained of her garden and stately home. Such was the fate of many Slovaks and people from other nations.

Although this was a sad period of our collective history, Mária tried to make the world a better, gentler and more beautiful place. Her name lives on in the many rose varieties named after her.

**TAKE A CLOSE LOOK AT A ROSE PLANT.
HOW MANY DIFFERENT PARTS CAN YOU IDENTIFY?**

EMÍLIA VÁŠÁRYOVÁ

...MENÍ SVET TÝM, ŽE UŽ VYŠE POL STOROČIA PRINÁŠA RADOSŤ SVOJMU PUBLIKU

...HAS CHANGED THE WORLD BY BRINGING JOY TO AUDIENCES FOR OVER HALF A CENTURY

HORNÁ ŠTUBŇA / 1942

Emília Vášáryová je ikona. Táto krásna, pôvabná a talentovaná žena zasvätila život svojej najväčšej vášni – herectvu. Možno ju poznáš z jedného z mnohých filmov, ktoré sa stali súčasťou zlatej zbierky slovenskej kinematografie.

Emília vyrastala v rodine učiteľa, ktorý do svojich detí vštepil hodnoty poctivosti a spravodlivosti. Odmietal sa komukoľvek podriadiť, aj keby z toho mal mať osobný osoh, výhody, peniaze či pohodlie. Asi preto ho komunisti nemali radi a trestali aj jeho dcéru. Emílii nedovolili študovať na vysokej škole.

Jej talent však bol príliš veľký a výnimočný, aby vyšiel navnivoč. Rektor Vysokej školy múzických umení v Bratislave si Emíliu všimol na miestnej súťaži v recitovaní a navrhol jej, aby sa skúsila na štúdium prihlásiť. Sľúbil, že prehliadne zákaz a dovolí jej študovať, ak uspeje v prijímacích skúškach.

Možno si myslíš, že Emília bola nadšená. Práve naopak. Vyhliadka rokov strávených v zatuchnutých učebniach sa jej vôbec nepáčila. Až prísne slovo od otca zlomilo jej tvrdohlavú vôľu.

Emília bola iná ako ostatné herečky a okamžite po skončení vysokej školy dostala miesto v Národnom divadle. Takej pocty sa mladým herečkám dostávalo len zriedka. Režiséri vedeli, čo robia a obecenstvo sa do Emílie okamžite zamilovalo. Jej herecký talent a krása potešili ich srdcia, duše aj unavené mysle.

Nikoho neprekvapilo, keď sa Emília stala aj miláčikom filmového plátna. Jej šarm oslovil aj ľudí za hranicami Československa. Preslávila sa hlavnou úlohou v poetickom filme *Keď príde kocúr* (1963), ktorý získal hneď dve ocenenia v Cannes. Film mal taký úspech, že aj komunisti boli nadšení a dovolili Emílii vycestovať do Francúzska, aby si cenu prevzala. Ľudia v tej dobe nemohli cestovať kamkoľvek a kedykoľvek sa im zachcelo. Nebolo jednoduché získať potrebné doklady a povolenia, no Emília dostala výnimku. Aj napriek tomu, že mala povolené cestovať, bola neustále sprevádzaná tajnými agentami, prezlečenými za novinárov.

Žiarila v mnohých ďalších filmoch a divadelných predstaveniach. Srdcia divákov si získala svojou skromnou a čistou povahou. Očarila ich natoľko, že jej udelili titul „Herečka storočia". Ona sama verí, že tajomstvom života je schopnosť tešiť sa z maličkostí a vedieť oceniť to, čo máme, namiesto vyplakávania nad tým, čo nám chýba. Najdôležitejším pre ňu ale je mať odvahu milovať.

POZNÁŠ AJ INÉ VÝZNAMNÉ HEREČKY?

LUCIA GREJTÁKOVÁ

Emília Vášáryová is an icon. Beautiful, graceful and talented, she has dedicated her life to her greatest passion – acting. Many Slovaks may know her from the many films that are now a part of the treasured collection of Slovak cinema history.

Emília grew up with a father who was a teacher who taught his children the value of honesty and righteousness. Her father did not bow down to anyone, even if doing so, would have brought him comforts or more money. Maybe that is why the communists did not like him and they punished his daughter too – Emília could not go on to study at university.

But her talent was too great to be wasted. The head of the famous Arts School spotted Emília at a regional poetry recital contest and proposed that, if she could pass the entry exams, he would ignore the ban and allow her to study under his tutorship. You might think that Emília would be happy, but she did not like the idea of going to university and spending years in stuffy classrooms. It was a stern word from her father that made her accept the offer.

Emília stood out from all the other aspiring actresses and she was offered a place in the National Theatre as soon as she graduated, an unheard of success for a young actress. The directors knew what they were doing. The audience immediately fell in love with Emília. Her skill and beauty soothed their hearts and brought joy to their tired minds.

It was no surprise that Emília became the darling of cinema too. Her charm translated even across the Czechoslovak border. Her famed role in the fantasy film *When the Cat Comes* (1963) won two major awards at the Cannes Film Festival. The film was so successful that even the communists were thrilled. Back then, people could not travel wherever they pleased. They needed special permits and those were hard to get. Emília was allowed to travel to France to attend the awards ceremony, but she could only go under an escort of secret police officers disguised as journalists.

Many more films and plays came and went. But it was Emília's beautiful, positive and humble personality that earned her the title 'The Actress of the Century'. She believes that the secret of life is about finding joy in small things, appreciating what you have instead of crying about what you don't, and most importantly having the courage to love.

WHO ARE SOME OTHER STRONG ACTRESSES YOU CAN THINK OF? DO YOU KNOW ANY SLOVAK ACTORS?

...ZMENIL SVET TÝM, ŽE SA ZASLÚŽIL O VZNIK ČESKOSLOVENSKA

...CHANGED THE WORLD BY ESTABLISHING THE FIRST CZECHOSLOVAK REPUBLIC

KOŠARISKÁ / 1880 – 1919

„Veriť, milovať, pracovať.“

Milan Rastislav Štefánik je skutočným národným hrdinom. Slováci si ho zvolili za najväčšieho Slováka všetkých čias. Kto bol tento drobný muž s veľkým srdcom a železnou vôľou?

Milan sa narodil do skromných pomerov rodiny evanjelického farára v malej dedinke na západnom Slovensku. Vtedy bolo Slovensko ešte súčasťou Rakúsko-Uhorska. Milan chcel rozumieť hviezdam a sníval o tom, že jeho krajina raz bude slobodná. Bol rozhodnutý spraviť pre to všetko, čo bolo v jeho silách.

Najprv sa postavil na odpor otcovi a začal študovať astronómiu na Karlovej univerzite v Prahe. Spoznal veľa dôležitých ľudí, ktorí chceli, aby Slováci a Česi mali vlastnú krajinu. Po štúdiách sa vybral do Paríža, kde chcel pracovať po boku najlepších astronómov na svete. V ceste mu však stálo veľa prekážok. Nemal peniaze a nemal sa ani na koho obrátiť s prosbou o pomoc. Napriek všetkému získal napokon prácu vo vychýrenom parížskom observatóriu Observatoire de Paris-Meudon. Vtedy sa mu otvorili dvere do celého sveta. Milan cestoval do Ruska, na Tahiti, do Ekvádoru a na mnohé ďalšie exotické miesta. Zdolal Mont Blanc, fotografoval v Maroku, skúmal nočnú oblohu v Turkistane a písal knihy o astronómii.

Keď vypukla prvá svetová vojna, naučil sa lietať a vstúpil do francúzskych vzdušných síl.

Jeho presné predpovede počasia zachránili život nejedného pilota a vyslúžili Štefánikovi medaily a ocenenia. Jemu však zo všetkého najviac záležalo na oslobodení Slovenska.

Vo dne, v noci neúnavne pracoval na tom, aby Česi a Slováci spojili sily v mene budúceho Československa. Použil svoj šarm, dôvtip, znalosť mnohých jazykov i širokú sieť prestížnych kontaktov, aby československú myšlienku podporil na medzinárodnej úrovni. O tom, že Československo je dobrý nápad presvedčil dokonca i niekoľko vplyvných mužov. Organizoval a viedol československé légie, ktoré v zahraničí bojovali za spoločné nezávislé Československo.

Jeho úsilie prinieslo výsledky po skončení vojny, keď v roku 1918 vzniklo samostatné Československo. Štefánik sa stal ministrom vojny, ale nebolo mu súdené vrátiť sa späť na Slovensko. Jeho lietadlo havarovalo v Ivanke pri Dunaji neďaleko Bratislavy v roku 1919.

Milan Rastislav Štefánik sa stal legendou. Nikdy sa nevzdal svojho sna a tým, že ho nasledoval vždy a všade, pomohol Slovákom získať slobodu.

ŠTEFÁNIK CESTOVAL DO MNOHÝCH EXOTICKÝCH KRAJÍN A V JEDNEJ Z NICH CHCEL ZALOŽIŤ OBSERVATÓRIUM. BOL TO VEĽMI AMBICIÓZNY PROJEKT, ALE MILAN BOL ÚSPEŠNÝ. VIEŠ, KDE SA TOTO OBSERVATÓRIUM NACHÁDZA?

LUCIA GREJTÁKOVÁ

"To believe, to love, to work"

Milan Rastislav Štefánik is a national hero. Slovaks even voted him as the greatest Slovak to have ever lived. Who was this small man with a big heart and iron will?

Milan was born to the modest family of a pastor in a small village in western Slovakia, back when Slovakia was still a part of the Empire of Austria-Hungary. His dream was to understand the stars and to free his people from rulers who did not care for them. Milan would move mountains to make his dreams happen.

First, he defied his father and started studying astronomy at Charles University in Prague. While living in Prague, Milan got to know many important people who wanted the Czechs and the Slovaks to have their own country. After his studies, Milan went to Paris. He wanted to work with the very best astronomers in the world, but it was difficult. He had no money and no one to help him. In the end, he got a job at the famous Observatoire de Paris-Meudon that opened the door to the world for him. He travelled to Russia, Tahiti, Ecuador, and other exotic places; he climbed Mt Blanc, took photographs in Morocco, gazed at the stars in Turkistan and wrote books on astronomy.

When the First World War erupted, Milan learned to pilot planes and joined the French Air Force. His weather forecasts were more accurate than those of anyone else. They saved the lives of many pilots and earned Milan awards and medals. But nothing interested Milan more than liberating Slovakia.

He worked day and night to unite Czechs and Slovaks to work together in the name of a future Czechoslovakia. He used his charm, sharp wits, multiple languages and wide network of contacts to promote the idea of Czechoslovakia internationally. He persuaded powerful men that Czechoslovakia was a good idea. And he organised and led the Czechoslovak Legion, which fought abroad for an independent Czecho-Slovak state.

When the war was over, his efforts paid off and Czechoslovakia was recognised as an independent country in 1918. Štefánik was appointed the Minister of War, but he would never set foot on Slovak land again. His plane crashed near Bratislava in 1919.

Milan Rastislav Štefánik became a legend. Against all odds, he never gave up on his dreams, and by following them, he helped to give Slovaks their freedom.

ŠTEFÁNIK WAS SENT TO A FARAWAY EXOTIC LAND TO FOUND AN OBSERVATORY THERE. IT WAS A VERY AMBITIOUS PROJECT AND MILAN SUCCEEDED. DO YOU KNOW WHERE THIS OBSERVATORY IS? FIND OUT IF YOU DON'T KNOW.

...ZMENIL SVET PRVÝM MRAKODRAPOM V ÁZII

...CHANGED THE WORLD BY BUILDING ASIA'S FIRST SKYSCRAPER

✶ BANSKÁ BYSTRICA / 1893 – 1958

Akú máš národnosť? Niektorí odpovedia poľahky, pre iných je otázka identity o čosi komplikovanejšia. Život a dobrodružstvá Ladislava Hudeca sú dôkazom, že identita, národnosť či dokonca meno sa môžu zmeniť ľahšie, ako sa na prvý pohľad zdá.

Ladislav Hudec, László Hugyecz alebo Wu Dake (鄔達克) v čínštine, bol mužom mnohých identít. Narodil sa a vyrastal v Banskej Bystrici v období maďarizácie, kedy bolo jednoduchšie a výhodnejšie používať maďarské meno. Jeho otec bol Slovák a mama Maďarka. Slovensko bolo súčasťou Rakúsko-Uhorska, ktoré pozostávalo z mnohých národností. Patrili sem Česi, Nemci, Rakúšania, Maďari, Židia, Rómovia, a samozrejme, Slováci. V ríši žilo dokopy 20 rôznych etnických skupín, ktoré hovorili 13 rozličnými jazykmi.

Ako mladý muž sa Ladislav učil umeniu architektúry od svojho otca. Ako 21-ročný navrhol kostol Panny Márie vo Vyhniach, ktorý tam stojí dodnes. Po vypuknutí prvej svetovej vojny vstúpil do armády, ale padol do zajatia Rusov. Tí ho poslali do väzenia na Ďalekom východe.

Ladislavovi sa podarilo ujsť. Niekde na rusko-čínskej hranici vyskočil z vlaku a zamieril do Šanghaja. Práve tu mu narástli krídla a jeho kariéra architekta sa začala úspešne vzmáhať. Ladislav navrhol mnohé jedinečné budovy v meste, medzi nimi bol aj prvý mrakodrap v Ázii. Park Hotel bol postavený v roku 1934 a dlhé desaťročia bol jednou z najvyšších stavieb sveta.

Československo sa pod tlakom nacistického Nemecka v roku 1939 rozpadlo. Ladislav prišiel o československé občianstvo a požiadal preto o maďarský pas pod menom László Hugyecz. V roku 1941 dostal prácu na maďarskom veľvyslanectve v Šanghaji. Vďaka svojej pozícii dokázal zachrániť niekoľko židovských rodín tým, že im udelil maďarské pasy a umožnil tak ujsť do USA.

Kto ale vlastne Ladislav bol? Aká bola jeho identita? V Maďarsku je László považovaný za národného hrdinu, na Slovensku sme si ho uctili poštovou známkou. Možno nezáleží na jeho identite, ale na jeho činoch a úspechoch. Na konci života sa túžil vrátiť domov. Svojim deťom povedal, že chce byť pochovaný na Slovensku.

ŽIL SI NIEKEDY V INEJ KRAJINE? DOKÁŽEŠ PRIJAŤ KULTÚRY, KTORÉ SA ODLIŠUJÚ OD TVOJEJ? ČO SA TI NA NICH PÁČI?

What is your nationality? For many people this is a simple question but sometimes questions of identity can be complicated. Ladislav Hudec's life and adventures show that a person's identity, nationality and even their name may not be permanent.

Ladislav Hudec, László Hugyecz or Wu Dake (鄔達克) in Chinese, was a man of many identities. He was born and raised in Banská Bystrica to a Slovak father and Hungarian mother during the period of Magyarization when it was often advantageous to use a Hungarian name. Slovakia was then part of the multi-ethnic Empire of Austria-Hungary that was made up of many nations, including Czechs, Germans, Magyars (Hungarians), Jews, Roma – and of course Slovaks. In total the empire was a mix of 20 different ethnic groups, which spoke 13 different languages.

As a young man, Ladislav learned about architecture from his father and, when he was 21, he designed the Church of the Virgin Mary in Vyhne – it is still there today. When the First World War broke out, he fought on behalf of his country, but was captured by the Russian Army and transported to the Far East.

However, Ladislav managed to escape, jumping from the train near the Russian-Chinese border. He headed towards the city of Shanghai, and it was in this Chinese haven that his architectural career took off. Ladislav was responsible for designing many of Shanghai's extraordinary buildings, including Asia's first skyscraper. The Park Hotel was built in 1934, and remained one of the world's tallest buildings for decades.

In 1939, Czechoslovakia was broken up by Nazi Germany. Ladislav lost his Czechoslovak citizenship and applied for a Hungarian passport under the name László Hugyecz instead. In 1941, he got a job at the Hungarian Embassy in Shanghai. It was in this role that he managed to save several Jewish families from prison by giving them Hungarian passports to travel to the USA.

So what was his identity? As László, he is celebrated in Hungary as a national hero, and as Ladislav he has been honoured in Slovakia by having his face on a postage stamp. Maybe these questions are less important than his achievements. In the end he just wanted to return home, telling his children, "*I want to be buried in Slovakia*."

HAVE YOU EVER LIVED IN ANOTHER COUNTRY?
CAN YOU ACCEPT CULTURES THAT ARE DIFFERENT FROM YOUR OWN?
WHAT DO YOU LIKE ABOUT THEM?

...ZMENIL SVET KRÁSOU SVOJICH ARCHITEKTONICKÝCH SKVOSTOV

...CHANGED THE WORLD BY DESIGNING BUILDINGS OF LASTING BEAUTY

TURÁ LÚKA / 1868 - 1947

Ktoré miesta vystihujú slovenský národ a ktoré sú preň najdôležitejšie? Ktoré nám pomáhajú pochopiť históriu Slovenska a Slovákov? Je to Gerlach, najvyšší štít krajiny, alebo Kriváň, na ktorom Ľudovít Štúr sníval o nezávislosti Slovenska? Možno je tým miestom mohutný hrad Devín či Spišský hrad alebo niektoré mesto či kraj? Jedným z takých miest je isto aj Mohyla na vrchu Bradlo neďaleko Myjavy, ktorá ukrýva hrob M. R. Štefánika.

Navštívili ste už niekedy tento pamätník? Navrhol ho Dušan Jurkovič, jeden z najvýznamnejších slovenských architektov. Mohyla na Bradle je vskutku pôsobivá. Je postavená z bieleho kameňa, ktorý sa vyníma oproti zvlneným kopcom Myjavskej pahorkatiny. Za takýto hrob by sa nemuseli hanbiť ani egyptskí faraóni. Dušan začal na Mohyle pracovať v roku 1924 a dokončil ju o štyri roky neskôr v roku 1928. Táto stavba bola preňho mimoriadne dôležitá. Štefánik bol totiž jeho blízkym priateľom.

Dušan Jurkovič zvykol vravieť, že umenie je zakorenené v čase a on iba načúva jeho hlasu. Načasovanie tohto projektu bolo kľúčové. Stavba mala byť dokončená presne na desiate výročie založenia Československa. Slováci tam dodnes chodia, aby si pripomenuli Štefánikov život a významné udalosti svojich národných dejín.

Dušan navrhol mnoho ďalších skvostov, ktoré stoja na území bývalého Československa. Rád spájal tradíciu s moderným štýlom. Jeho prácu môžete obdivovať v Skalici, kde navrhol budovu Kultúrneho domu, v Kremničke, kde sa podpísal pod Pamätník obetiam fašizmu, alebo v Bratislave, kde stojí jeho vlastný dom. Dušana Jurkoviča môžete stretnúť v podobe jeho sochy pri Dunaji v Bratislave.

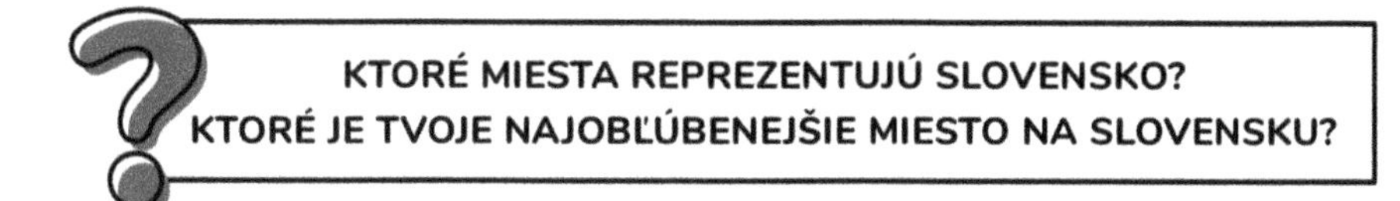

KLÁRA ŠTEFANOVIČOVÁ

Which places represent the Slovak nation? Which places are most important in understanding the history of Slovakia and its people? It could be a mountain like Gerlach, the highest peak, or Kriváň, where Ľudovít Štúr dreamed of Slovak independence. It could be a mighty castle, like Devin, or Spiš. It could be one of the many beautiful towns and cities, or it could be the tomb of M. R. Štefánik on Bradlo Hill near Myjava.

Have you ever visited this monument? It was designed by Dušan Jurkovič, one of Slovakia's greatest architects. It is an impressive piece of work, fit for an Egyptian pharaoh, with its white stone standing out among the gentle peaks of the Myjava Hills. Dušan began his task in 1924 and completed construction in 1928. He and Štefánik had been close friends so this project was also personally important to Dušan.

He used to say that, "*The work of art is rooted in time. I have always listened to its voice.*" The timing was very important as the monument had to be ready for the celebration of the 10th anniversary of the First Czechoslovak Republic. It is a place where Slovaks can go to remember Štefánik's life and important events in the nation's history.

Dušan Jurkovič designed many World War I cemeteries and other buildings in Czechoslovakia, combining modern and traditional styles. You might be able to find more of his designs such as the Culture House in Skalica, the war memorial in Kremnička and his own house in Bratislava. You can also find a statue of him by the River Danube in Bratislava.

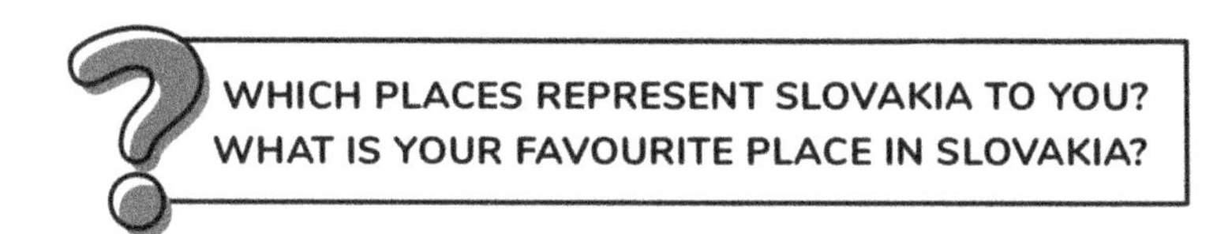

ZUZANA ČAPUTOVÁ

...ZMENILA SVET TÝM, ŽE AKO ŽENA DOSIAHLA VRCHOLNÚ POLITICKÚ KARIÉRU

...HAS CHANGED THE WORLD BY SHOWING THAT WOMEN CAN REACH THE TOP

✶ BRATISLAVA / 1973

„Hľadajme to, čo nás spája.“

Zuzana Čaputová vyriekla tieto slová pred davom ľudí, ktorí sa na jej počesť zhromaždili v Bratislave v roku 2019. Prišli osláviť jej nevídaný úspech. Zuzana práve vyhrala v prezidentských voľbách a stala sa prvou prezidentkou v histórii Slovenska.

Vyrastala v pokojnom mestečku Pezinok neďaleko Bratislavy. Jej rodičia ju vždy povzbudzovali, aby sa učila a spoznávala svet, a hlavne, aby sa nikdy neprestala pýtať a byť zvedavá. Ako osemnásťročná odišla do Bratislavy študovať právo na Univerzite Komenského. Už počas štúdia premýšľala o tom, ako by mohla svojimi znalosťami a schopnosťami pomôcť Slovensku.

Prvá veľká príležitosť a výzva nastala, keď jeden podnikateľ založil v Pezinku ilegálnu skládku. Odvážna Zuzana použila svoje vzdelanie na to, aby dokázala, že spoločnosť a jej rozhodnutia znečisťovali životné prostredie a ubližovali ľuďom. Krok za krokom sa stala uznávanou právničkou, ktorá sa nezľakla veľkých prípadov. Zuzana viedla niekoľko kampaní, ktorých poslaním bolo priviesť politikov k tomu, aby sa správali slušne a zodpovedne.

To, čo Zuzanu preslávilo po celom Slovensku, a aj za jeho hranicami bol spôsob, akým vystupovala počas prezidentských volieb v roku 2019. Ostatní kandidáti sa hádali a správali sa hrubo, zatiaľ čo Zuzana zostávala slušná a nestrácala z dohľadu svoj cieľ a túžbu slúžiť Slovensku. Bola presvedčená, že politika sa musí od základu zmeniť.

Všetci videli, že Zuzana bola iná, ale nie všetci verili, že by mohla vyhrať. Rátanie hlasov voličov po celom Slovensku sprevádzala nervozita. Zuzana Čaputová napokon vyhrala so sloganom „Postavme sa zlu, spolu to dokážeme“ a stala sa novou prezidentkou Slovenskej republiky.

ČO BY SI SPRAVIL/A KEBY SI SA STAL/A PREZIDENTOM/PREZIDENTKOU?

MASHA DAMBAEVA

„Let's *look for what unites us."*

Zuzana Čaputová said these unifying words as she looked out at the people gathered in Bratislava in March 2019. They were there to celebrate her achievement at winning the presidential election and becoming the first ever female president of Slovakia.

Zuzana grew up in the quiet town of Pezinok with parents who encouraged her to learn about the world and always ask questions. When she was 18, she went to Bratislava to study law at Comenius University. During her studies she began to think about how she could use her skills and knowledge to improve society.

A great challenge came when a business started using land for an illegal rubbish dump in her hometown of Pezinok. Brave Zuzana used her legal training to prove that the company's actions were causing illegal pollution and harm to the people. Step by step, she became known as a skilful lawyer who could win big cases. Zuzana's work did not stop in court rooms. She also led campaigns to make politicians behave fairly and honestly to their citizens.

But what really catapulted Zuzana to fame was how she handled herself during the 2019 presidential race. While the other candidates argued and called each other rude names, Zuzana tried to stay positive and focused on the higher objective, that of serving Slovakia. She believed that politics had to change from the inside out.

Everyone could see that Zuzana was different from the rest, but not everyone believed she could win. There were some nervous hours as votes from all over Slovakia were counted on election night. In the end and under the slogan „let's fight evil together", Zuzana Čaputová won and became the new president of the Slovak Republic.

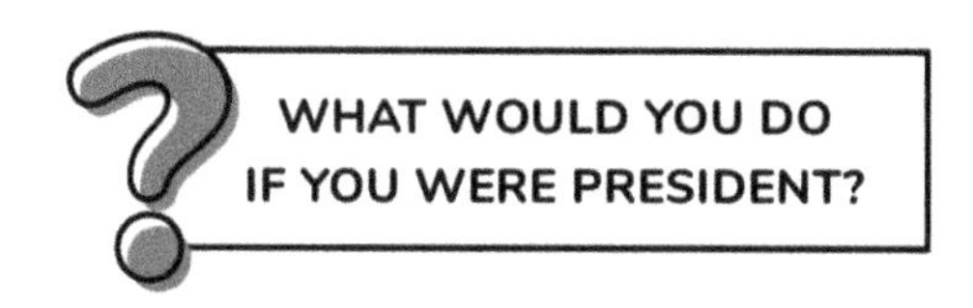

MICHAL BOSÁK

...ZMENIL SVET TÝM, ŽE SI SPLNIL SVOJ AMERICKÝ SEN
...CHANGED THE WORLD BY LIVING THE AMERICAN DREAM

* OKRÚHLE / 1869 – 1937

Tak ako niekoľkí ľudia v tejto knihe, aj Michal Bosák opustil svoju krajinu, pretože život na Slovensku bol príliš ťažký. Rozlúčil sa s rodinou a priateľmi na východnom Slovensku a vybral sa do Spojených štátov. Mal iba 16 rokov, keď v roku 1886 dorazil do vzrušujúceho New Yorku. Vo vrecku mal len jeden dolár a aj ten mu ukradli počas prvej noci v meste. Zdalo sa, že Michala šťastena opustila.

Mnohí by to vzdali, ale nie Michal. Našiel si prácu v uhľovej bani v Pensylvánii. Bolo to tvrdá a špinavá práca. Deň za dňom Michal lámal uhlie na malé kúsky a sám seba sa v slabých chvíľkach pýtal, prečo to vlastne robí, ale vytrval.

Akonáhle sa zlepšila jeho angličtina, odišiel z baní a zamestnal sa ako robotník na železniciach. Stretol dievča svojich snov a zhodou náhod, aj ona bola Slovenka. Spolu si našetrili peniaze a otvorili vlastný bar v jednom malom meste. Boli zaľúbení a tešili sa z nového spoločného začiatku.

V tej dobe do Ameriky prichádzalo stále viac a viac Slovákov. Chceli domov na Slovensko posielať tovar, nábytok či oblečenie. Obrátili sa na Michala so žiadosťou o pomoc a tým v ňom prebudili podnikateľského ducha. Okrem prepravy začal poskytovať úvery Slovákom, ktorí potrebovali viac peňazí, ako mali vo vrecku. Malý podnik neustále rástol až sa z neho stala jedna z najväčších bánk v Amerike. Z Michala bol multimilionár a jeden z najbohatších ľudí v USA. Viedol dokonca Národnú banku a jeho meno sa objavilo na amerických bankovkách!

Chudobný chlapec z východného Slovenska vlastnými rukami vybudoval impérium, no nikdy na rodnú krajinu nezabudol. Domov posielal peniaze, ktoré pomohli Čechom a Slovákom v boji za nezávislé Československo. Pamätaj, že toto všetko sa stalo pred prvou svetovou vojnou, kedy bolo Slovensko súčasťou Rakúsko-Uhorska. Politici a bojovníci za nezávislosť potrebovali peniaze a Michal, verný svojim koreňom, im rád poskytoval pomoc.

Michal Bosák si teda splnil nielen svoj americký sen, ale značnou mierou prispel aj k splneniu sna o vzniku Československa.

NATASA STEFUNKOVA

Like several other people in this book, Michal Bosák left his home in Slovakia because life was too difficult there. He said goodbye to his friends and family in eastern Slovakia and moved to the United States when he was only 16 years old. In 1886, Michal arrived in the great city of New York with just one dollar in his pocket, and even this was stolen from him on his first night there. Had Lady Luck abandoned him?

Some would have given up, but Michal did not. He found his first job breaking coal in Pennsylvania. It was hard and dirty work and Michal spent day in and day out knocking lumps of coal into small pieces. He must have had many dark moments but he persisted. As soon as his English got better, he left the mines and became a construction worker on the railways.

Michal even met the girl of his dreams and she was Slovak just like him. Together they saved enough money to open a bar in a small town. They were in love and very happy to start a new life together.

At the time, more and more Slovaks were arriving on US shores. Many wanted to ship goods, furniture, clothes and other stuff between Europe and America. They turned to Michal for help. This is how Bosák's entrepreneurial spirit was ignited. He also started offering fellow Slovaks loans when they needed more money than they had in their pockets. The small business grew into one of the most powerful banks in America and Michal became a multi-millionaire. Not only that, he was also one of the richest men in America and his name appeared on US banknotes!

The penniless boy from eastern Slovakia built his own empire, but he never forgot where he came from. Michal Bosák used his money to support his homeland. He helped to fund Czechs and Slovaks who were fighting for an independent Czechoslovakia. Remember, this was before the First World War and Slovakia belonged to the Kingdom of Hungary. The politicians and campaigners needed money and Michal, true to his roots, was prepared to give it to them.

Michal not only made his American dream happen, he also helped to establish Czechoslovakia.

WHAT DO YOU THINK THE PHRASE, "THE AMERICAN DREAM" MEANS?
WHY DID SO MANY PEOPLE LEAVE SLOVAKIA FOR THE USA?

...ZMENIL SVET SVOJOU TÚŽBOU RIEŠIŤ PROBLÉMY

...HAS CHANGED THE WORLD BY SOLVING PROBLEMS

BRATISLAVA / 1957

„Nájdeme spôsob a ak nie, tak ho vymyslíme."

Anton odmalička miloval matematiku. Zaujímal ho svet, ktorý ležal za hranicami Slovenska, ale vtedy nebolo ľahké cestovať.

Rástol a dospieval a jeho záľuba v číslach ho doviedla na univerzitu, kde začal študovať matematiku a fyziku. Bol taký dobrý, že ho pozvali učiť kvantovú fyziku na vysokú školu v Mexiku. Konečne prišla príležitosť cestovať a Anton neváhal ani sekundu.

Presťahoval sa do San Diega v USA, kde jeho vedecká kariéra začala závratne stúpať. Žil svoj americký sen, ale neprestajne sa mu cnelo za Slovenskom, a preto hľadal spôsoby, ako krajine pomôcť. Takto mu prišiel do cesty ESET a Anton sa s chuťou pustil do zveľaďovania tejto firmy.

Poznáš ESET? Dnes je to jedna z najúspešnejších slovenských spoločností, ktorá predáva antivírusové programy ľuďom po celom svete. ESET je kúsok Slovenska, ktorý poznajú ľudia od Ameriky po Austráliu, hoci kedysi to býval len malý podnik.

Vieš, čo je počítačový vírus? Je to program, ktorý nakazí počítač a ten potom nemôže naplno pracovať. Vírus môže počítač spomaliť, alebo dokonca zmazať informácie, ktoré sú v ňom uložené. Počítačový vírus sa podobá na nádchu alebo chrípku. Keď sme chorí, nevládzeme behať, hrať sa, či sústrediť sa na prácu. Ľudí aj počítače od vírusov chráni silná imunita a presne to je úlohou antivírusového programu. Nové vírusy sa objavujú každý deň a Anton s nimi bojuje svojou vynaliezavosťou.

Anton Zajac odjakživa rád riešil problémy. Keď sa ostatní vzdali, on pritvrdil a kráčal ďalej. Vďaka tomu sa stal milionárom. Dodnes rád rieši hádanky a s mladými ľuďmi sa delí o svoju lásku k číslam a fyzike. Svet potrebuje géniov, ktorí mu pomôžu riešiť problémy.

VYRIEŠIL SI NIEKEDY NEJAKÝ PROBLÉM? AKO?

LUCIA GREJTÁKOVÁ

Anton had loved mathematics ever since he was a little boy. As a youth, he was also curious about the world that lay beyond Slovakia, but it was very difficult for people to travel in those days.

As time went by, Anton's fascination with numbers brought him to university to study mathematics and physics. He was so good that he was invited to teach quantum physics at a Mexican University. This was his chance to get out of Slovakia and into the big wide world. Anton did not hesitate for a second.

Eventually, Anton moved to San Diego, USA, where his scientific career took off. He was living the American dream but he missed Slovakia, and he always looked for ways he could help his country and his people. This is why he started working with ESET.

You might recognise the name. ESET is one of the most successful Slovak businesses that sells anti-virus software to people all over the planet. It is a piece of Slovakia that is known everywhere from America to Australia and Africa, but back then it was just a small enterprise.

Do you know what a computer virus is? It is a program that can infect the way your computer works. It can slow it down, or destroy information that you have saved on it. It is like when we get a cold or flu – we do not feel well, we cannot run, play, focus or work. That is what a virus does to a computer. To protect us and our computers from viruses, we need to make our immunity strong. An anti-virus program does just that. And as new viruses appear every day, Anton has to be very inventive to fight them off.

But, Anton has always enjoyed solving problems. When everyone else has given up trying, he does not. This is how he has become a self-made millionaire. Today, he still loves to solve riddles and share his love of numbers and physics with young people. The world needs more geniuses to solve its many problems.

WHAT IS A PROBLEM YOU HAD TO SOLVE? HOW DID YOU DO IT?

VLADIMÍR CLEMENTIS

...ZMENIL SVET REVOLÚCIOU

...CHANGED THE WORLD BY HELPING TO LEAD A REVOLUTION

* TISOVEC / 1902–1952

Porovnaj tieto dve fotografie. Na oboch je Klement Gottwald, vodca Komunistickej strany Československa a krajiny, počas svojho prejavu vo februári 1948. Z druhej však niekto odstránil dvoch mužov. Jedným z nich bol Vladimír Clementis, slovenský politik. Prečo musel zmiznúť z fotky?

Vladimír mal už ako malý chlapec zmysel pre právo a spravodlivosť. Stal sa úspešným právnikom. Bral prípady, ktoré nikto iný nechcel a v nich obhajoval záujmy roľníkov a robotníkov, ktorí si nemohli dovoliť právnika.

Vladimír bol pevne presvedčený o správnosti komunistických ideálov a o tom, že všetci sú si rovní bez ohľadu na to, z akej rodiny či spoločenskej vrstvy pochádzajú. Počas druhej svetovej vojny ušiel Clementis do Londýna. To však neznamenalo, že zabudol na ľudí, ktorí doma trpeli. Každý týždeň sa im prihováral z Rádia BBC. Po skončení vojny bol už z Vladimíra verejne známy a uznávaný muž.

V roku 1948 komunisti prevzali moc v Československu a Vladimír získal post ministra zahraničných vecí. Sám sa mnohokrát čudoval toľkému šťastiu a premýšľal, či je to vôbec možné. Do Európy sa navrátil mier a on dúfal, že práva všetkých, vrátane chudobných, budú odteraz pod ochranou štátu.

Potom sa však niečo zmenilo. Túžba po moci otrávila predstaviteľov komunistickej strany a navždy zmenila ich prístup k vládnutiu. Vladimírovi kolegovia sa ho začali obávať a žiarliť na jeho úspech. On si myslel, že buduje lepšiu a spravodlivejšiu spoločnosť, ale ukázalo sa, že opak bol pravdou.

Keďže Vladimíra nebolo možné skorumpovať, stal sa nebezpečným živlom pre politikov bažiacich po moci. Chceli sa ho zbaviť. Obvinili ho z vymysleného zločinu – z vlastizrady. Postavili ho pred súd a odsúdili na smrť za niečo, čo nikdy nespáchal. V roku 1952 ho obesili. Vladimíra mali ľudia radi, a preto chceli jeho nepriatelia vymazať jeho meno i život z pamäti národa. Fotografie ako tá, ktorú vidíš, boli upravené, aby sa zdalo, že Vladimír nikdy neexistoval. Dni pred popravou trávil tým, že písal listy svojej manželke Lide, aby jej povedal, že to bola ich láska, ktorá mu dodávala silu.

KTO A PREČO PODĽA TEBA ZMENIL FOTOGRAFIU?

MASHA DAMBAEVA

Compare these two photos. They both show the leader of Czechoslovakia, Klement Gottwald giving a speech in February 1948. However, two people have been erased from the second picture. One of them, the man on the left, is Vladimír Clementis, a Slovak politician. Why did he have to disappear from the picture?

Vladimír had been passionate about justice ever since he was a little boy. He went on to become a successful lawyer who took on cases that no one else wanted to touch. He defended farmers and factory workers who could not afford a lawyer.

Vladimír also believed in the communist ideals and that all people were equal no matter their background. When the Second World War came, Clementis escaped to London, but he did not forget the people who were suffering at home. Every week he supported them by talking to them on BBC Radio. When the war finished, Vladimír was an important and popular man.

When the communists took power in Czechoslovakia in 1948, he obtained the job of the Minister of Foreign Affairs. Vladimír must have wondered and pinched himself many times over to believe his good fortune. Peace was restored and he hoped the rights of all people, including the poor, would now be properly protected.

Then something changed; the Communist Party became poisoned with hunger for power. Vladimír's colleagues became afraid and jealous of his success. He thought that he was helping to build a more just society, but this turned out to be far from reality.

It was impossible to corrupt Vladimír and he became considered a danger to the corrupt politicians who decided to get rid of him. Vladimír Clementis was accused of false crimes, put on trial and judged by those who hated him. This trial was not about justice. Instead, Vladimír was forced to confess that he committed the terrible crime of treason, which was not true. In 1952, he was executed by hanging. Because Vladimír was so popular with the people, his enemies wanted to make sure that he would be forgotten. Photographs such as the one above were 'airbrushed' to make it seem as though he never existed.

WHO DO YOU THINK CHANGED THE PHOTO?
WHY DO YOU THINK THEY DID THIS?

...ZMENIL SVET TÝM, ŽE DOKÁZAL,
ABY SLOVENSKO SÚPERILO S NAJVÄČŠÍMI FUTBALOVÝMI KRAJINAMI SVETA

...HAS CHANGED THE WORLD BY SHOWING THAT SLOVAKIA CAN COMPETE
WITH THE GREATEST FOOTBALL (SOCCER) NATIONS

* BANSKÁ BYSTRICA / 1987

24. júna 2010 bol významný deň pre Mareka Hamšíka a slovenský futbal. Ako kapitán viedol svoje mužstvo na ihrisko pred viac ako 50-tisíc divákov v Johannesburgu v Južnej Afrike. V poslednom skupinovom zápase bolo súperom Slovenska Taliansko, úradujúci majster sveta. Ak Slováci chceli postúpiť do osemfinále, museli vyhrať. Taliani si boli istí svojou silou, no aj naša reprezentácia vedela, že má šancu.

V 25. minúte spravili talianski obrancovia chybu a Slováci skórovali. Taliani sa snažili o vyrovnanie, no slovenský tím udrel znova. Marek Hamšík prihral Róbertovi Vittekovi a ten trafil loptu rovno do brány. Taliani síce dali dva góly, no nakoniec naša reprezentácia vyhrala 3 : 2 a postúpila do ďalšieho kola svetového šampionátu.

Bol to len jeden z množstva žiarivých momentov Hamšíkovej futbalovej kariéry, ktorá ho počas 20 rokov doviedla z futbalového klubu Banskej Bystrice najprv do Slovana Bratislava, a potom do celého sveta, vrátane Číny. Mareka si väčšina ľudí spája s Neapolom, kam prišiel v roku 2007 a kde strávil 12 rokov. V tomto klube predbehol dokonca aj Diega Maradonu a stal sa hráčom s najväčším počtom gólov v jeho histórii. Dosiahol tiež klubový rekord v počte odohraných zápasov – bolo ich 520.

Fanúšikovia Neapola Hamšíka zbožňovali a dali mu prezývku „Marekiaro“, ktorá spája jeho prvé meno s talianskym slovom označujúcim priezračne modré more.

Marek Hamšik pokoril aj rekordy slovenského národného tímu. Za Slovensko odohral 120 zápasov a strelil 25 gólov! Krajinu viedol ako kapitán proti najlepším tímom sveta a dokázal, že Slovensko je schopné konkurovať svetovým mužstvám aj na tej najvyššej úrovni.

11
KLÁRA ŠTEFANOVIČOVÁ

June 24th, 2010, Marek Hamšík led the Slovak national football team out onto the pitch, in front of over 50,000 fans at Ellis Park Stadium in Johannesburg, South Africa. He was team captain against the reigning world champions, Italy, in a match that Slovakia had to win. Italy started strongly but as the game progressed, Slovakia began to create chances.

In the 25th minute, after a mistake by the Italian defence, Róbert Vittek beat the goalkeeper with a low shot into the corner - 1 : 0 Slovakia! Italy came back strongly, but could find no way past Hamšík in midfield. In the 73rd minute, Hamšík received the ball wide on the right, he hit a first time cross into the centre for Vittek to score another goal - 2 : 0 Slovakia! The final minutes were nail-biting for Slovak fans watching on televisions back home, but the team held on to win 3 : 2 and go through to the next round of the World Cup.

This was just one highlight of Hamšík's football career, which has lasted over 20 years and has taken him from his local team in Banská Bystrica to Slovan Bratislava, and even as far as China. However, the team Marek is most associated with is Napoli, which he joined in 2007. During his 12 years at the club, he overtook Diego Maradona to become the club's all-time top scorer, and played in 520 matches, another club record.

The Napoli fans loved him and gave him the nickname, "Marekiaro" combining his first name with the Italian word for clear, blue sea.

Marek Hamšík has also broken records for the national team. He has played 120 times for Slovakia and scored 25 goals! He has led the team as captain against some of the best teams in the world, and shown that Slovakia can compete at the very highest level of international football.

DO YOU HAVE A FAVOURITE FOOTBALL TEAM?

...ZMENIL SVET BOJOM ZA SLOBODU

...CHANGED THE WORLD BY FIGHTING FOR FREEDOM

* RAJECKÉ TEPLICE / 1912 – 1942

V nedeľu 28. decembra 1941 zúrila v Európe druhá svetová vojna. Jozef Gabčík a jeho český priateľ v boji Jan Kubiš nastúpili v Anglicku na palubu lietadla. Ich cieľom bolo Československo. O desiatej hodine večer si naposledy skontrolovali padáky a vyskočili do temnoty studenej zimnej noci. Muži boli na tajnej, dôležitej a nebezpečnej misii.

V roku 1939 nacistické Nemecko obsadilo Československo a nastala krutovláda. Nacisti vraždili všetkých, ktorí im odporovali. Do väzenských táborov smrti posielali tisícky nevinných ľudí. Československo ako také zaniklo a v Prahe vládol nemilosrdný Reinhard Heydrich, Hitlerova pravá ruka. Ľudia ho volali „pražský mäsiar". Úlohou Jozefa a Jana bolo nepozorovane vniknúť do mesta a spáchať atentát na Heydricha.

Jozef a Jan zistili, že Heydrich chodí každé ráno do práce autom po tej istej trase. Vybrali si miesto, kde vodič musel pred ostrou zákrutou spomaliť. Dňa 27. mája 1942 sa Jozef a Jan vydali na poslednú etapu svojej misie s jasným cieľom – zabiť Heydricha. Jozefov samopal sa počas útoku zasekol, a tak Jan neváhal použiť granát a dokončiť svoju úlohu.

Muži sa okamžite po čine pokúsili utiecť a skryť. Jan ušiel na bicykli a Jozef električkou. Tisíce nemeckých vojakov sa vyrojili po meste a hľadali páchateľov. Napokon ich našli v krypte kostola. Jozef a Jan zomreli v dlhom a krvavom boji. Ich odvážny čin síce skončil tragédiou, ale stali sa hrdinami, ktorí svetu jasne ukázali, že Česi a Slováci sú pripravení za slobodu bojovať i zomrieť.

SPRAVIL/A SI NIEKEDY NIEČO SKUTOČNE ODVÁŽNE?

MASHA DAMBAEVA

On Sunday December 28th, 1941, as the Second World War was raging in Europe, Jozef Gabčík and his Czech comrade in arms Jan Kubiš boarded a plane in England. Their destination was Czechoslovakia. At 10pm, they made a final check of their parachutes and leapt out into the cold, winter night. They were on a deadly, dangerous and top-secret mission.

In 1939, Nazi Germany had invaded Czechoslovakia. The Nazis were cruel rulers who killed anyone who opposed them and put thousands of innocent people in prison camps. Czechoslovakia was no more and instead Prague received a brutal Nazi leader. Reinhard Heydrich, was Hitler's right hand and so cruel that people called him the 'Butcher of Prague'. Jozef and Jan's mission was to sneak into the city without being detected by Nazi soldiers and to assassinate Heydrich.

Jozef and Jan worked out that Heydrich's car always went the same route to his office each morning. They chose a spot where his car had to slow down to turn a corner to attack their target. On 27th May 1942, Jozef and Jan carried out their plan using a machine gun, but Jozef's gun jammed and Jan used a grenade to kill him.

The men fled the scene of the attack as fast as they could, Jan pedalled away on his bike and Jozef escaped on a tram. Thousands of Nazi German soldiers searched for them all over the city and eventually found them hiding in a church crypt. Jozef and Jan died in a long and bloody battle. Their courage had a tragic end, but the two heroes showed that Czechs and Slovaks were ready to fight and even die for their freedom.

HAVE YOU EVER DONE ANYTHING 'BRAVE'?

* UHROVEC / 1921 – 1992

24. novembra 1989 vystúpil Alexander Dubček na balkón. Pod ním bolo Václavské námestie s desiatkami tisíc ľudí. Tlieskali a skandovali: „*Dubček! Dubček!*“ Alexander sa usmial, od dojatia mu po tvári stieklo zopár slz. Ako tam tak stál, spomínal na svoju cestu životom a osud jeho krajiny.

Alexander Dubček sa narodil v Uhrovci, v tom istom dome, kde o storočie skôr prišiel na svet národný hrdina Ľudovít Štúr. Alexander neúnavne pracoval a študoval. Naučil sa hovoriť po rusky, a dokonca ovládal aj esperanto, nakoľko jeho rodina počas mnohých rokov pomáhala v ZSSR budovať komunizmus. Saša, ako ho ľudia volali, mal osemnásť rokov, keď vypukla druhá svetová vojna a Slovensko sa dostalo pod nadvládu nacistického Nemecka.

Alexander si vážil spravodlivosť a slobodu, a preto sa zapojil do slovenského odporu proti fašizmu. V roku 1944 odvážne bojoval po boku partizánov v Slovenskom národnom povstaní za oslobodenie krajiny. Zúčastňoval sa útokov na nepriateľské základne a vďaka tomu, že poznal lesy ako vlastnú dlaň, vždy sa mu podarilo uniknúť nebezpečenstvu. On prežil, no vo vojne prišiel o brata.

Po skončení vojny sa Alexander s mladíckym odhodlaním pustil do politiky. V roku 1968 sa stal predsedom Komunistickej strany, čo sa rovnalo pozícii premiéra Československa. Okamžite začal krajinu reformovať, aby sa Slováci aj Česi mohli mať lepšie.

Dubček chcel zaviesť „socializmus s ľudskou tvárou“. Možno by uspel a začal celkom nový systém vládnutia, keby Sovietsky zväz jeho snahu nezastavil razantnou inváziou. Sovietom sa nepáčili Dubčekove liberálne názory, preto prišiel o post a skončil ako lesník.

V roku 1989 si však Slováci a Česi vydobyli naspäť slobodu. Davy burácali a vzdávali poctu Dubčekovi, odvážnemu hrdinovi s prívetivým úsmevom, ktorý im dal nádej.

Žiaľ, Alexander už nemal možnosť posunúť Slovensko k nezávislosti, pretože v roku 1992 tragicky zahynul pri autonehode.

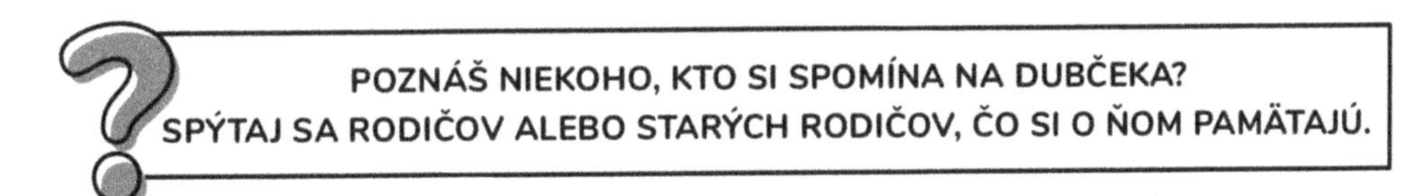

LUCIA GREJTÁKOVÁ

On November 24th 1989, Alexander Dubček stepped out onto a balcony overlooking Wenceslas Square in Prague. The tens of thousands of people gathered below erupted into loud applause and began cheering "Dubček! Dubček!". Alexander smiled, waved and even wept a little. He remembered his life's journey and that of his country.

Dubček was born in Uhrovec in the same house that welcomed to life the national hero Ľudovít Štúr, some 100 years earlier. He worked and studied hard and learnt to speak Russian and Esperanto, for his family spent over a decade in the USSR helping build communism. Saša, as people liked to call him, was 18 when the Second World War began and Slovakia came under the control of Nazi Germany.

Alexander believed in fairness and freedom, so he joined the Slovak resistance to fight against the Nazis. In 1944, he fought bravely in the Slovak National Uprising to free his country. He took part in raids against enemy bases and then used his knowledge of the forests and mountains to escape. Alexander survived, but he lost his brother in those difficult times.

After the War, the young man entered politics. By 1968, he was the leader of the Communist Party and so the leader of Czechoslovakia. He immediately began to make changes that were needed to make life better for the Czech and Slovak people he loved so much.

Dubček wanted „socialism with a human face". Maybe he would have succeeded in building an entirely new way of governing people, but the Soviet Union invaded his country. The Russians did not like Alexander's liberal ideas. He lost his job and worked the remainder of his life as a forester instead.

But then, in 1989, the Czech and Slovak people won their freedom again. The crowds cheered for Dubček, the brave fighter and the smiling hero who brought hope to so many. But he died in 1992 after a tragic auto accident before having a chance to help build an independent Slovakia.

DO YOU KNOW ANYONE WHO REMEMBERS ALEXANDER DUBČEK? MAYBE YOUR PARENTS OR GRANDPARENTS? ASK THEM WHAT THEY REMEMBER ABOUT HIM.

...ZMENILA SVET SILOU ODVAHY

...HAS CHANGED THE WORLD BY SHOWING THE POWER OF COURAGE

TRNAVA / 1926 - 2020

Jedného teplého jesenného dňa v septembri 1939 sa dvanásťročná Gerta tešila na prvý deň nového školského roka. Keď však prišla do školy, pred zavretou bránou našla niekoľko spolužiakov. Na dverách visel nápis: „Židia a Česi sú zo školy vylúčení". Gerta zabúchala na bránu, ale nikto sa neozval a nikto neprišiel otvoriť.

Začala sa druhá svetová vojna a Československo sa rozpadlo. Nová vláda kolaborovala s Hitlerom a začala meniť zákony. Židovské deti ako Gerta nemohli viac chodiť do školy.

Následne táto vláda rozhodla, že Gertina rodina sa musí vzdať obchodu, ktorý mala v Trnave. Táto správa Gertu a jej rodičov veľmi zasiahla. Obchod bol ich živobytím, radosťou. Bol všetkým, čo mali. Ale to bol, žiaľ, ešte len začiatok.

O niekoľko mesiacov kamaráti Gerte povedali, že polícia odvádza všetkých židov do väzenských táborov. Gertina rodina sa rozhodla podstúpiť riziko a pred deportáciami ujsť. Vybrali sa smerom na juh od Trnavy a v noci tajne prekročili hranice s Maďarskom.

Gerta a jej rodina sa museli pred políciou skrývať niekoľko rokov. Mnohokrát si bola nútená vymyslieť príbehy, aby políciu zmiatla a neprezradila svoju skutočnú identitu. Nakoniec ju predsa len chytili a odviedli na centrálu Gestapa v Bratislave. Húževnatá Gerta ušla cez okno. Stretla ďalších židov na úteku a navzájom si pomáhali.

Po vojne Gerta pokračovala vo vzdelaní, ktoré jej nacisti už ako dvanásťročnej upreli. Nielen, že dobehla všetko čo zameškala, ale navyše slávila jeden akademický úspech za druhým. Začala študovať prírodné vedy v Prahe, potom sa v roku 1959 odsťahovala do Londýna, kde sa stala profesorkou biológie. Veľké srdce a silného ducha nemožno len tak ľahko zlomiť!

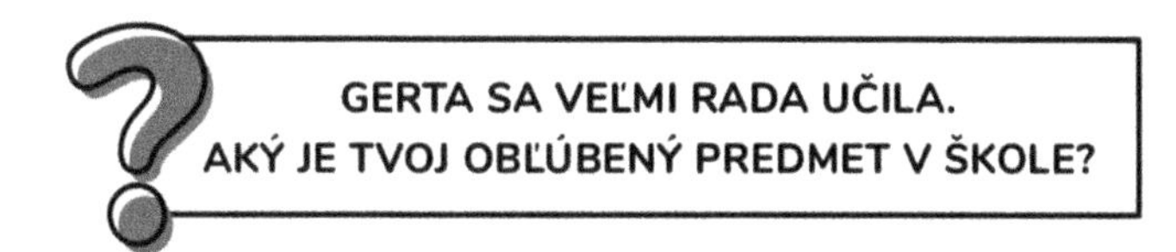

NATASHA STEFUNKOVA

On a warm autumn day in September 1939, 12-year-old Gerta set off for the first day of the new school year. As she arrived at school, Gerta found several of her classmates standing outside the closed gate. On the gate hung a sign saying, "Jews and Czechs are excluded from the school." Gerta banged on the school gate and shouted to be allowed in but no one came to her rescue. No one came to open the door.

This was at the start of the Second World War and Czechoslovakia fell apart. A new government that cooperated with Hitler had taken control of Slovakia and changed many laws, including one that stated Jewish children like Gerta could no longer get an education.

Next, this government decided that Gerta's family could not keep their shop in Trnava. This was devastating to Gerta and her parents. The shop was their livelihood, their joy, their everything. But this was just the beginning...

Some months later, a friend warned Gerta that the police were coming to take all the Jewish people into a prison camp. Gerta's family decided to take a big risk and escape. They drove south from Trnava and crept across the border into Hungary at night.

Gerta and her family spent the next few years hiding from the police in Hungary and in Slovakia. She often had to make up stories to fool the police and pretend she was somebody else. Eventually she was caught and taken to the Gestapo headquarters in Bratislava. But the tenacious Gerta escaped by jumping out of a window. She then began to meet other escapees and help them.

After the war, Gerta continued her education which had been unfairly taken from her at the age of 12. She not only caught up, but academically flourished. Gerta studied science at Prague University, before moving to London in 1959 where she became a Professor of Biology. Great spirits and brave hearts do not give up easily.

...ZMENILA SVET TÝM, ŽE UKÁZALA, AKO MOŽNO S ODVAHOU PREKONÁVAŤ PREKÁŽKY

...HAS CHANGED THE WORLD BY SHOWING THAT BRAVERY OVERCOMES OBSTACLES

* LIPTOVSKÝ MIKULÁŠ / 1995

„S*om hrdá, že som mohla pre Slovensko získať zlatú medailu!*" a celé Slovensko bolo hrdé, keď Petra Vlhová vyhrala obrovský slalom na majstrovstvách sveta vo Švédsku. Mala zlatú medailu na hrudi a slzy v očiach. Splnil sa jej sen.

Petra mala len tri roky, keď ju rodičia po prvý raz vzali na lyžovačku do slovenských hôr. Tam sa zrodila jej vášeň pre zimné športy, sneh a rýchlosť. Každú zimu trávila nekonečné hodiny na svahoch a snívala, že raz bude v televízii mávať slovenskou vlajkou a reprezentovať krajinu.

Lyžovanie je náročný šport a aj Petra utŕžila mnohé zranenia. Raz dokonca stratila vedomie a zlomila si čeľusť, no nevzdala sa. Nikto sa predsa nestal majstrom sveta z ničnerobenia.

V roku 2014 sa Petra kvalifikovala na zimné olympijské hry do Ruska. Nezískala síce žiadne medaily, ale dostala sa do blízkosti najrýchlejších lyžiarov sveta a do virvaru najväčšieho športového podujatia planéty. To ju obrovsky inšpirovalo.

O päť rokov neskôr, vo februári 2019, sa odhodlaná a pripravená Petra zúčastnila majstrovstiev sveta vo Švédsku. Počasie sa rýchlo zhoršovalo, prudký vietor sa preháňal nad svahom a zdalo sa, že v ten deň nik štartovať nebude.

Petra sa ale nezľakla. Verila, že to dokáže a po prvom zjazde sa dostala na druhé miesto. Napriek zlému počasiu počas druhého zjazdu Petra vedela, že je to teraz alebo nikdy. Vložila do toho celé svoje srdce a talent a získala pre Slovensko prvú zlatú medailu z majstrovstiev sveta v lyžovaní.

**MOHOL/MOHLA BY SI SA STAŤ MAJSTROM SVETA?
V AKOM ŠPORTE ALEBO AKTIVITE?**

FS
DÁVID MARCIN

"I'm *so proud that I could win the gold for Slovakia!*" and all Slovakia was proud of her when Petra Vlhová won the women's giant slalom at the World Championships in Sweden. With a gold medal on her chest and tears running down her cheeks, her dream had come true.

Petra was only 3 years old when her parents first took her skiing in the Slovak mountains. She quickly fell in love with the snow and speed, and spent endless hours every winter on the cold slopes dreaming that one day she would be the one on TV, waving the Slovak flag and representing her homeland.

Skiing is a tough sport and Petra suffered many painful injuries when she was still a girl. Once, she was even knocked unconscious and broke her jaw, but she did not give up the sport. No one becomes a world champion easily.

In 2014, Petra qualified to represent Slovakia at the Winter Olympics in Russia. Although she didn't win any medals, she was inspired by being around the fastest skiers on the planet in the midst of the Olympic excitement.

Exactly five years later, in February 2019, Petra arrived strong and focused at the World Championships in Sweden. But the weather was terrible. Strong winds were blowing across the mountain and it seemed impossible to achieve anything.

Petra did not cower, she believed that she could do it and she secured second place after the first run. On the second run, and despite the weather, she knew that it was now or never. The Slovak bullet gave it her all, she skied even faster and won the first ever World Championships Gold Medal in slalom for Slovakia! Since that first medal, Petra has continued to work hard to keep improving, and all of Slovakia looks forward to seeing what else Petra will accomplish.

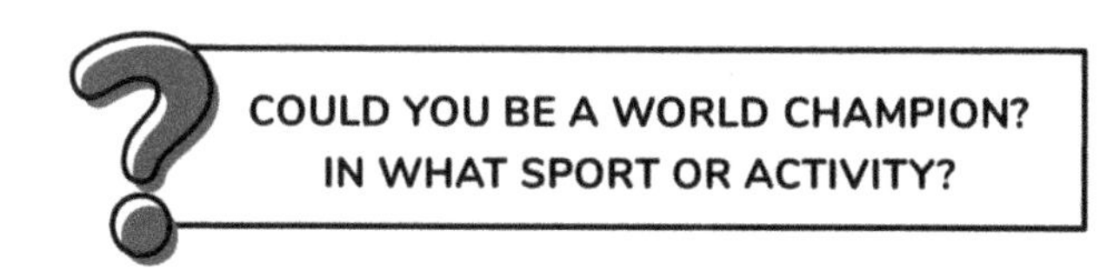

PRE MNOHÝCH ĽUDÍ VLADIMÍR MEČIAR NIE JE HRDINA, PREČÍTAJTE SI JEHO PRÍBEH A ZISTITE PREČO.

FOR MANY PEOPLE VLADIMÍR MECIAR IS NOT A HERO, READ HIS STORY TO DISCOVER WHY.

VLADIMÍR MEČIAR

...ZMENIL SVET ZALOŽENÍM SAMOSTATNÉHO SLOVENSKA A JEHO UVRHNUTÍM DO CHAOSU

...CHANGED THE WORLD BY ESTABLISHING AN INDEPENDENT SLOVAKIA AND PLUNGING IT INTO DARKNESS

* ZVOLEN / 1942

3. mája 1999 bolo v mestečku Vrbové príjemne teplo. Vladimír Mečiar rečnil pred zvedavým obecenstvom na tamojšom mestskom úrade. Drobná žena v stredných rokoch a kyticou bielych kvetov v náručí vystúpila z davu. Bola to Anna Remiášová. Prišla za Mečiarom, aby mu osobne povedala, že sa chcela pozrieť do tváre muža, ktorý jej zabil syna. Nato ho kvetmi udrela po tvári. Vladimír Mečiar bol vždy bojovníkom, ale túto bitku nemohol vyhrať.

Jeho obľúbeným športom bol box a v mladosti vyhral viacero zápasov. Po škole začal pracovať na Okresnom národnom výbore v Žiari nad Hronom a neskôr sa stal tajomníkom odboru Miestneho hospodárstva. Nakoľko sa ale zapojil do reforiem Pražskej jari, o zamestnanie prišiel a vylúčili ho z radov Komunistickej strany Československa. Popri štúdiu práva v Bratislave vystriedal viacero zamestnaní.

Počas Nežnej revolúcie v roku 1989 sa zapojil do hnutia Verejnosť proti násiliu a prispel k zosadeniu Komunistickej strany. O rok neskôr si Vladimíra Mečiara Slováci zvolili za premiéra. Čoskoro sa dostal do rozporu so svojimi politickými kolegami a v roku 1991 si vytvoril vlastnú politickú stranu. Nezhody spojené so smerovaním Slovenska v rámci Česko-Slovenska vyústili v jeho rozdelenie v roku 1993.

Netrvalo dlho a začali sa prejavovať autoritatívne sklony Vladimíra Mečiara. Jeho prístup k vládnutiu nevrhal na Slovensko to najlepšie svetlo. Budúcnosť nevyzerala sľubne. Slovensko bolo izolované od Západu, chcelo vstúpiť do Európskej únie a do NATO, ale medzinárodní pozorovatelia boli znepokojení vývojom v krajine, a tak si Slovensko spolu s niekoľkými ďalšími krajinami muselo na členstvo ešte chvíľu počkať.

Dokonca aj Madeleine Albrightová, ministerska zahraničných vecí USA, sa vyjadrila o Mečiarovom Slovensku ako o „čiernej diere v srdci Európy".

Vladimír síce doviedol krajinu k nezávislosti, ale nie k demokracii. Dodnes je podozrievaný z korupcie pri privatizácii štátnych podnikov, ktoré lacno predával svojim priateľom. Jeho meno sa spája aj s podnecovaním nevraživosti voči susedným krajinám.

V roku 1996 bol Mečiar podozrivý z účasti na vražde novinára Róberta Remiáša, ktorý skúmal jeden zo zločinov Mečiarovej vlády. Preto prišla Anna Remiášová v ten deň do Vrbového a nebojácne sa Mečiarovi postavila. Vtedy už nebol obávaným a všemocným premiérom.

Slováci sa Mečiarovi otočili chrbtom v parlamentných voľbách roku 1998. Už sa viac nedostal k moci. Svoj odchod oznámil v televízii celkom svojsky. V čudnom vystúpení Slovákom zaspieval: *„S pánom Bohom, idem od vás, neublížil som, neublížil som žiadnemu z vás...“*

AKÝ BY MAL BYŤ DOBRÝ LÍDER A PREDSTAVITEĽ KRAJINY?

NATASHA STEFUNKOVA

The 3rd of May, 1999, was a warm day in the small town of Vrbové. Vladimír Mečiar was giving a speech in a crowded town hall. A small, middle-aged woman approached the front of the crowd holding a bouquet of white flowers. It was Anna Remiášová who came to confront Mečiar. She told him that she wanted to look into the eyes of the man who had killed her son, and then slapped him in the face with the flowers. Vladimír Mečiar had always been a fighter, but this was one battle he could not win.

Growing up, his favourite sport was boxing and he won several fights as a young man. After leaving school, he worked his way up through the tough world of communist party politics to become a local leader in the town of Žiar nad Hronom. He was kicked out of the Party for supporting the Prague Spring reforms and took on a series of jobs while studying for a law degree in Bratislava.

During the 1989 revolution, he joined the Public Against Violence movement and helped remove the Communist government. A year later, Mečiar was elected Slovakia's Prime Minister. However, he soon began to argue with his colleagues and in 1991, he created his own political party. As a political leader, Mečiar could not agree with the leadership of the Czech part of the government, and in 1993, he negotiated the breakup of Czecho-Slovakia.

Mečiar's authoritarian reputation spread far and wide and things were not looking good for the newly independent Slovakia. The country became isolated from the West, and downgraded into the slow lane for joining NATO and the EU. The US Secretary of State, Madeleine Albright even described Mečiar's Slovakia as "a black hole in the heart of Europe."

Vladimír had led his country to independence, but not to freedom or democracy. He was accused of corruption in selling off state-owned industries to his friends, and encouraging hostility towards Slovakia's neighbours.

In 1996, Mečiar was suspected of involvement in the murder of a journalist, Róbert Remiáš, who was investigating another of Mečiar's government's crimes. This is why Anna Remiášová came to Vrbové and fearlessly faced Vladimír. By then, he was no longer the invincible Prime Minister.

Slovak people turned their back on Mečiar in the 1998 election. He would never again hold power. As he went on national television to announce his departure from politics, he made a desperate plea. In a bizarre sing-song statement he told the Slovak nation "*With the Lord God, I am leaving you, I did not harm any of you...*".

WHAT QUALITIES MAKE A GOOD LEADER?

ĽUDMILA PAJDUŠÁKOVÁ

...ZMENILA SVET TÝM, ŽE OBJAVILA KOMÉTU

...CHANGED THE WORLD BY DISCOVERING A NEW COMET

RADOŠOVCE / 1916 – 1979

V minulosti sa ľudia komét báli. Boli nepredvídateľné, križovali nočnú oblohu a mnohí ich považovali za zlé znamenie. Ľudmila Pajdušáková nám ale svojou prácou ukázala, že nádherných padajúcich hviezd sa netreba báť.

Jej príbeh sa začal v záhrade rodinného domu v malej dedinke, kde v noci svietilo len zopár svetiel. Obloha tam bola tmavá a hviezdy jasno žiarili. V mestách obloha vyzerá celkom inak. Keď sa Ľudmila pozerala na nebo, videla milióny ligotavých hviezd, ktoré sa dívali priamo na ňu. Predstavovala si, ako kráča po moste Mliečnej dráhy do iných svetov a sľúbila si, že jedného dňa z nej bude astronómka. Tak sa aj stalo.

3. decembra 1948 Ľudmila pracovala v observatóriu na Lomnickom štíte to Vysokých Tatrách. Obrovským teleskopom sa dívala na nočnú oblohu a zaznamenávala hviezdy. Bola jasná noc a ideálne podmienky na pozorovanie vesmíru. Tej noci si Ľudmila všimla niečo nezvyčajné – žiarivú guľu svetlozelenej farby s trblietajúcim sa chvostom. Objavila novú kométu!

Kométa sa stala jej vášňou. Ľudmila ju skúmala, robila zložité výpočty a dozvedala sa o nej viac a viac. Táto kométa obieha okolo Slnka každého 5,25 roka a k Zemi sa najviac priblíži na osem miliónov míľ. Potom sa obráti späť k Slnku a znova sa stratí v hĺbke vesmíru ďaleko za Jupiterom.

Tej noci kométu spozorovali dvaja ďalší astronómovia, a preto dnes nesie meno všetkých troch. Kométa Honda-Mrkos-Pajdušáková bola k Zemi najbližšie naposledy v roku 2017. Znovu ju uvidíme v roku 2022. Kým na ňu budeš čakať, vyber sa do Astronomického observatória Skalnaté pleso vo Vysokých Tatrách a pozri sa, čo leží za hranicami Zeme.

AKÉ OBJEKTY VIDÍŠ NA NOČNEJ OBLOHE (HVIEZDY, PLANÉTY, KOMÉTY)?

LUCIA GREATAKOVA

In the distant past, people were scared of comets. They were unpredictable, streaking a trail of fire across the night sky. Many thought them to be bad omens. The work of Ľudmila Pajdušáková has taught us a lot about these beautiful 'shooting stars', so we do not fear them.

The story began in a simple home garden, in a tiny village, with few lights. The sky there was dark at night, not like in urban cities. When little Ľudmila looked up she could see millions of stars twinkling in the dark right back at her. She imagined tiptoeing on the bridge of the Milky Way and into other worlds and promised to herself that one day she would become an astronomer. And so she did.

On December 3rd, 1948, Ľudmila Pajdušáková was working at the observatory high up on Lomnický štít in the High Tatra mountains. Peering through the enormous telescope she scanned the night sky, identifying and recording the stars. It was a clear, cloudless night, perfect for observing deep into space. That night Ľudmila noticed something unusual, a bright green ball with a long glittering tail. She had discovered a new comet!

The comet became her passion. She did many complex scientific calculations and found out more about it. The comet she was looking at orbits around the Sun every 5.25 years, and at its closest point passes within 8 million miles of the Earth. Then it swings back around the Sun before soaring into the lonely depths of space far beyond Jupiter.

On that night, two other astronomers also observed the comet and so it was named after all three of them. The 'Honda–Mrkos–Pajdušáková' comet made its most recent pass by Earth in 2017. The next opportunity to see it will be in April, 2022. In the meantime, there is Ľudmila Pajdušáková's observatory at Skalnaté Pleso in the High Tatras, where you can take a peek into the beyond yourself.

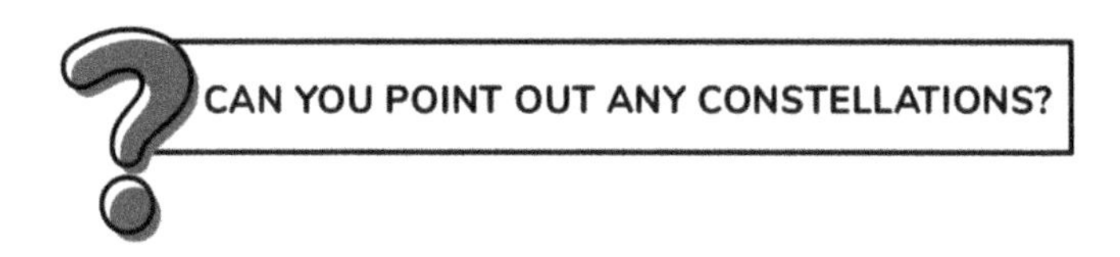

... ZMENILA SVET TÝM, ŽE SLOVENSKÝM CHLAPCOM A DIEVČATÁM DODÁVA ODVAHU SKÚMAŤ VESMÍR

...HAS CHANGED THE WORLD BY ENCOURAGING SLOVAK BOYS AND GIRLS TO EXPLORE THE UNIVERSE

✶ BRATISLAVA / 1988

Je na Marse život? To sa treba spýtať tej najpovolanejšej osoby - Dr. Michaely Musilovej. Je špičkovou astrobiologičkou, ktorá skúma možnosti života na iných planétach.

Keď Michaela vyrastala, rodičia ju často brali na túry a aj vďaka tomu sa zamilovala prírodu. Najprv ju zaujali sopky a keď mala osem rokov, vážne začala rozmýšľať nad tým, či v našej slnečnej sústave žijú mimozemšťania. Vtedy sa rozhodla, že sa stane astrobiologičkou a astronautkou, aby ich mohla ísť hľadať. Tento sen posilnilo stretnutie so slovenským astronautom Ivanom Bellom, ktorý bol súčasťou rusko-francúzsko-slovenskej misie vyslanej na vesmírnu stanicu Mir v roku 1999. Toto stretnutie naplnilo Michaelu odvahou a odhodlaním ísť za svojím snom.

Michaela tvrdo pracovala a získala štipendiá na univerzitách v Londýne a v Kalifornii. Popri tom mala niekoľko prác, aby si mohla štúdium dovoliť. Michaelina poctivá a tvrdá práca priniesla svoje ovocie, keď vo veku 21 rokov získala grant pre prácu pre NASA! Stala sa odborníčkou na „extrémofily" – organizmy schopné prežiť aj v tých najextrémnejších podmienkach. Takto sa z Michaely stala astrobiologička, ktorá skúma možnosti života na iných planétach.

Odvtedy Michaela viedla viac ako 30 simulovaných misií na Mesiac a Mars. Tieto misie pomáhajú ľudí pripraviť na život a prácu na iných planétach. Michaela je riaditeľka výskumnej stanici na Havaji, kde sa misie uskutočňujú. Jej prácu uznávajú a oceňujú mnohé medzinárodné organizácie. Okrem toho Michaela cestuje po svete a učí ľudí, ako prekonávať prekážky a nasledovať svoje sny.

Vráťme sa však späť k našej otázke: je na Marse život?

Michaela je optimistická. Verí, že na Marse by skutočne mohol byť život a že ľudia tam raz budú môcť cestovať. Možno bude práve ona medzi prvými, ktorým sa to podarí. Zatiaľ usilovne pracuje na tom, aby Slovensko zapojila do vesmírneho výskumu a otvorila dvere mladým Slovákom, ktorí podobne ako ona snívajú o hviezdach.

MYSLÍŠ SI, ŽE NA AJ NA INÝCH PLANÉTACH EXISTUJE ŽIVOT?

DÁVID MARCIN

Is there life on Mars? The best person to answer that question is Dr. Michaela Musilová, Slovakia's top astrobiologist, who studies the possibility of life on other planets.

Michaela's parents took her on many hikes since she was a girl, which is in part why she fell in love with nature. At first, she was fascinated with volcanoes and by age eight, she was already wondering if any aliens could live in our Solar System and beyond. That is when she decided to become an astrobiologist and an astronaut, so that she could go look for aliens herself. She felt even more inspired to follow her dreams after meeting the first Slovak astronaut Ivan Bella, who went on the Russian-French-Slovak mission to the Mir space station in 1999.

Michaela worked very hard to win many scholarships to study at universities in London and California. She also had to have multiple part-time jobs to self-fund all her studies. Her hard work paid off when she won a grant to work at NASA when she was 21! There, she focused on becoming an expert in the study of 'extremophiles', which are organisms that can survive in extreme environments and their study can help us find aliens.

Since then, Michaela has been the Commander of over 30 simulated missions to the Moon and Mars. These missions help prepare humans to be able to live and work on other planets and moons. Michaela works as the Director of a research station in Hawaii, where she runs these simulated space missions. Her work has been recognized by many international organisations and she has received numerous awards. She is also involved in teaching around the world encouraging people to overcome obstacles and follow their passions.

So, back to the big question: Is there life on Mars? Michaela is optimistic. She believes that there is hope for life there, and for people to travel there. Maybe Michaela will be one of the first humans to find out. Meanwhile, she works tirelessly to get Slovakia more involved in space research and to open doors for young Slovaks who want to reach the stars.

DO YOU THINK THERE IS LIFE ON OTHER PLANETS?

PRE MNOHÝCH ĽUDÍ GUSTÁV HUSÁK NIE JE HRDINA, PREČÍTAJTE SI JEHO PRÍBEH A ZISTITE PREČO.
FOR MANY PEOPLE GUSTAV HUSAK IS NOT A HERO, READ HIS STORY TO DISCOVER WHY.

GUSTÁV HUSÁK

...ZMENIL SVET TÝM, ŽE VIEDOL ČESKOSLOVENSKO DVADSAŤ NORMALIZAČNÝCH ROKOV
...CHANGED THE WORLD BY LEADING CZECHOSLOVAKIA FOR 20 DIFFICULT YEARS

BRATISLAVA / 1913 - 1991

Možno ťa prekvapilo, že sa v knihe objavuje aj Gustáv Husák. Je na tebe, či ho považuješ za Super Slováka alebo nie. V každom prípade však v dejinách krajiny aj on zohral dôležitú úlohu.

Gustáv mal 26 rokov, keď v roku 1939 Slovensko vyhlásilo nezávislosť a začala sa druhá svetová vojna. Myšlienka samostatného Slovenska sa mu síce pozdávala, ale nesúhlasil s fašistickou vládou. Čo to bolo za nezávislosť, keď bola celá krajina pod nadvládou Nemecka?

Preto sa v roku 1944 zapojil do Slovenského národného povstania proti nacistom. Nanešťastie, povstanie bolo potlačené. Partizáni nemali poriadnu výzbroj, plán, ani dostatok mužov. O rok neskôr Sovietsky zväz Slovensko oslobodil, vojna sa skončila a Československo sa vrátilo na mapu sveta.

Počas vojny sa Gustáv Husák zblížil s myšlienkami komunizmu a ideálmi komunistickej strany. Vďaka tomu mu po oslobodení krajiny Červenou armádou svitalo na lepšie časy. Nie každý v strane však súhlasil s jeho víziou pre Slovensko, ktorá rátala s väčšou samostatnosťou pre krajinu v rámci Československa. Počas komunistických čistiek Husáka zatkli a uväznili v Leopoldove na šesť dlhých rokov. Keď sa v 60-tych rokoch dostal na slobodu, znovu vstúpil do Komunistickej strany, a to aj napriek všetkému utrpeniu, ktoré mu komunisti spôsobili.

V roku 1968 Československo zažilo vpád vojsk Varšavskej zmluvy. Ich cieľom bolo zastaviť Alexandra Dubčeka a jeho reformy, ktoré sú známe ako Pražská jar. Dubčeka, muža na čele Komunistickej strany, a teda aj premiéra Československa, odstavili od moci a nahradil ho práve Gustáv Husák.

Bol však len bábkou v rukách Moskvy, odkiaľ dostával jasné príkazy a uskutočňoval ich. Svoje vládnutie nazval politikou „normalizácie", pretože život sa mal vrátiť do starých koľají po dramatických udalostiach leta 1968.

Gustáv Husák viedol Československo viac ako 20 rokov. Vládu a poslušnosť si vážil viac ako slobodu. Veril, že pre krajinu a ľudí robil len to najlepšie. Československo ale v skutočnosti riadil Sovietsky zväz, ktorý zrušil všetok pokrok, reformy a slobody Pražskej jari. Bolo to ozaj to najlepšie?

Gustav Husák za moc draho zaplatil. Prišiel o priateľov, dve manželstvá a život prežil osamote.

ČO SI MYSLÍŠ TY? BOL GUSTÁV HUSÁK SUPER SLOVÁK ALEBO NIE?

DÁVID MARCIN

You might be surprised to find Gustáv Husák in this book. You can decide for yourself if you think he was a 'Super Slovak' or not. Either way, he played an important role in the history of the country.

Gustáv was 26 years old when Slovakia declared its independence in 1939 and the Second World War began. Although he liked the idea of an independent Slovakia, he hated what he viewed as a cowardly government that collaborated with Nazi Germany. What kind of an independence was it if the country was controlled by Germany?

So, in 1944, Gustáv joined the rebels in the Slovak National Uprising against the Nazis. Sadly, this brave effort ended in failure as the rebels did not have enough weapons. But just one year later, the Soviet Union liberated Slovakia - the war was declared over and Czechoslovakia was restored.

It was during the war that Husák became enthralled with the ideals of the Communist Party, which put him in an advantageous position after the Red Army had freed the country. However, not everyone in the Party agreed with his ideas about Slovakia having more independence in the Czecho-Slovak alliance. During a purge of the Communist Party, Gustáv was arrested and locked up in Leopoldov Prison for six years. He got out in 1960 and, even though the communists had put him in prison, he re-joined the Party.

In 1968, Czechoslovakia was invaded by Soviet troops to stop Alexander Dubček and the liberation movement known as the Prague Spring. Dubček was removed from power by the powerful men in Moscow and Gustáv Husák took his place.

Husák became a new puppet leader, taking orders from the Soviet Union. He described his policy as 'normalisation' – getting life back to normal after the dramatic events of 1968. He led Czechoslovakia for over 20 years. Control and obedience were more important to him than freedom.

Gustáv Husák believed he was doing what was best for his country and his people. But what kind of an independence was it if the country was controlled by the Soviet Union?

WHAT DO YOU THINK?
WAS GUSTÁV HUSÁK A SUPER SLOVAK?

...ZMENIL SVET ODHALENÍM KORUPCIE

...CHANGED THE WORLD BY EXPOSING THE EVIL OF CORRUPTION

✶ ŠTIAVNIK / 1990 - 2018

Ján Kuciak a jeho snúbenica Martina Kušnírová boli zavraždení 21. februára 2018. Oboch zabili guľky zo zbrane muža, ktorý vnikol do ich domu. Slovenskom po tejto šokujúcej udalosti otriasli obrovské protesty.

Ján bol investigatívny novinár. To znamená, že pátral po zaujímavých príbehoch a o nich potom dopodrobna písal v novinách a na internete. Jána zaujímala najmä korupcia. Skúmal, ako dôležití ľudia, ako napríklad politici alebo majitelia veľkých firiem, porušujú zákon tým, že kradnú peniaze a podvádzajú.

Asi si vieš predstaviť, že mocní a skorumpovaní nemajú v obľube novinárov, akým bol Ján, a pokúšajú sa ich všemožne zastaviť v písaní o ich zločinoch. Najprv Jána varovali, potom sa mu vyhrážali, že ak neprestane písať, ublížia mu. Ján však vedel, že jeho práca je dôležitá, lebo ľudia majú právo poznať pravdu. Mal odvahu pokračovať v písaní svojich článkov o zločincoch, i keď tým ohrozoval svoj vlastný život.

Vražda Jána a Martiny zatriasla Slovenskom. Ľudí nahnevala nespravodlivosť a začali sa dožadovať lepšieho, bezpečnejšieho a slušnejšieho Slovenska. Desiatky tisíc protestujúcich sa zhromaždili na námestiach po celej krajine. Štrngali kľúčikmi tak ako počas Nežnej revolúcie, ktorá ukončila komunizmus. Prišli, aby ukázali všetkým, ktorí si myslia, že stoja nad zákonom, že skutočnú moc má v rukách ľud.

Polícia zatkla niekoľko podozrivých z účasti na vražde. Tí, ktorým dokážu vinu strávia za mrežami mnoho rokov. Tento tragický príbeh nám pripomína, že demokracia závisí na statočnosti ľudí ako Ján, ktorí neváhajú brániť naše práva a slobodu.

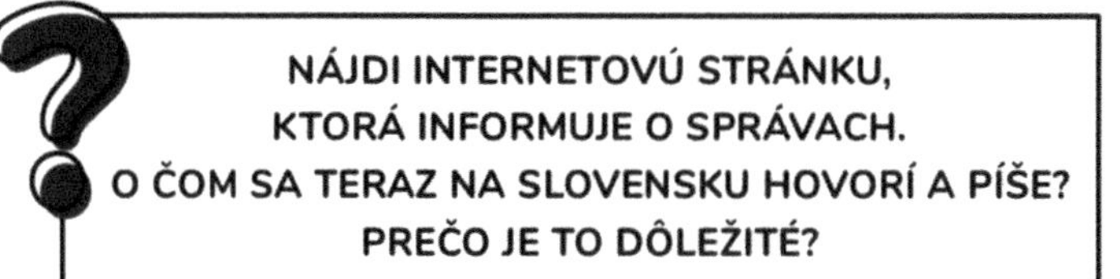

kedy nedá
a názory – či to
alebo ume-
presvedčený
pu
a čo
keďže je v
ľudstvo,
pravdepod
nechceme
a o slovác
la nepadlo
médiá ko
GENERATION
89
NATASHA STEFUNKOVA

Ján Kuciak and his fiancée Martina Kušnírová were murdered on the 21st February, 2018. They were both shot at close range by a man who arrived at their home with a gun. This was a shocking event which sparked huge protests across Slovakia.

Ján was an investigative journalist, which means he researched interesting stories in depth and wrote about them in newspapers and on websites. He was especially interested in uncovering corruption, when important people such as politicians and business leaders break the law by stealing money or cheating.

You can see why some powerful and corrupt people might want to stop journalists like Ján from writing about their crimes. In fact, some of these people had warned Ján that they would hurt him if he did not stop his investigations. However, Ján believed that his work was important because he knew that people needed to read the truth in their newspapers. He had the courage to keep writing about the criminals even when it put his own life in danger.

The murders of Ján and Martina shocked Slovakia. People were outraged at the injustice and they began to demand a better, safer and more decent Slovakia. Tens of thousands of protestors gathered in city squares across Slovakia. They jingled their keys – as people did during the Velvet Revolution that brought down communism. They gathered to show all those who think that they are above justice - that the people have the real power.

The police arrested several people suspected of involvement in the murder. Those found guilty will spend many years in jail. This tragic story is a reminder that democracy depends on the bravery of people like Ján who are prepared to defend our freedoms.

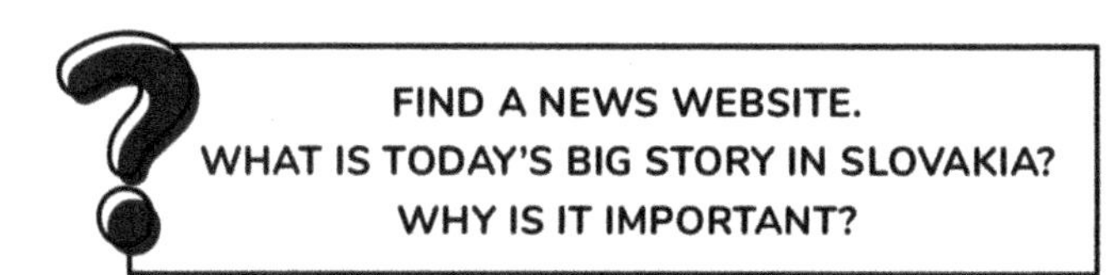

...ZMENIL SVET TÝM, ŽE JEDINOU FOTOGRAFIOU ZACHYTIL DUCHA A DUŠU SLOVENSKA

...CHANGED THE WORLD BY DEFINING THE SPIRIT OF SLOVAKIA IN ONE IMAGE

* LEVICE / 1939 – 1984

V roku 1968 v Československu vládla komunistická strana a krajina bola súčasťou Východného bloku, v ktorom dominoval Sovietsky zväz. Mnohí túžili po zmene a po väčšej slobode a zdalo sa, že svitá na lepšie časy. Alexander Dubček sa postavil na čelo komunistickej strany a reformného hnutia, ktoré poznáme pod názvom Pražská jar.

Sovietsky zväz znepokojili zmeny v Československu a padlo rozhodnutie urobiť im rázny koniec. V auguste 1968 na rozkaz Moskvy vpadli do krajiny vojská Varšavskej zmluvy. Pol milióna vojakov a stovky tankov sa zo dňa na deň objavili v slovenských mestách a dedinách.

21. augusta 1968 sa inštalatér Emil Gallo prebudil do desivého dňa. Vybehol na ulicu a postavil sa pred tank. Nemal zbraň, skalu ani palicu, len holé ruky. Od zúfalstva si roztrhol oblečenie a vystavil hlavni tanku nahú hruď a odvážne srdce. Bol to jeho spôsob vyjadrenia nesúhlasu a odporu. Emil votrelcom ukázal, že Slováci sa nepoddajú.

V rovnakej chvíli sa na rovnakom mieste nachádzal ešte jeden statočný muž, Ladislav Bielik, fotograf, ktorý nezabudnuteľný moment zvečnil na fotografii. Potom riskol všetko, vrátane vlastného života, aby fotku prepašoval za hranice krajiny. Chcel svetu ukázať, čo sa v Československu dialo, pretože vedel, že Komunistická strana sa pokúsi zatajiť pravdu a prekrútiť skutočnosť.

Počas invázie prišlo o život 70 ľudí a stovky sa zranili. Československo stratilo nádej na všetky reformy a slobody. Vrátil sa prísny a represívny režim, ktorý v krajine panoval ďalších dvadsaťjeden rokov.

Fotografia muža stojaceho pred tankom na bratislavskej ulici obletela svet, no Ladislav sa nikdy nemohol nikomu priznať, že bola jeho dielom. Komunisti by ho kruto potrestali. Preto sme sa o jeho hrdinskom čine dozvedeli až po jeho smrti a po páde železnej opony.

**KEDYSI LEN ZOPÁR ĽUDÍ DOKÁZALO FOTIŤ.
DNES MÁ TELEFÓN S FOTOAPARÁTOM TAKMER KAŽDÝ.
DOKÁŽEŠ ROZPOVEDAŤ PRÍBEH FOTKAMI,
KTORÉ SPRAVÍŠ SÁM?**

VID MARCIN

In 1968, Czechoslovakia was ruled by the Communist Party and was part of an alliance dominated by the Soviet Union. Some people were trying to make changes in the country because they wanted more freedom. Alexander Dubček, the leader of the Communist Party, was one of them. He started brave reforms that became known as the Prague Spring.

However, these changes were not welcomed by the leaders of the Soviet Union who decided to invade Czechoslovakia to stop them. The invasion happened in August 1968, when a quarter of a million soldiers supported by hundreds of tanks entered the country and took control overnight.

On 21st August 1968, Emil Gallo, an ordinary plumber, woke up to the scary sight. He ran out and stood in front of the gun of a tank with no weapons in his hands, not even a rock or stick. He opened his shirt exposing his heart. It was his way to resist. Emil courageously showed that Slovaks would not bow to the invaders.

At that very moment, another brave man, a photographer called Ladislav Bielik, captured the scene. He knew it was a very powerful photograph and he risked his life to smuggle it out of the country. He wanted to show the world what was happening in Czechoslovakia because he knew the communists were going to try to hide the truth.

During the invasion, seventy people were killed and hundreds more were injured. Gone were the reforms and Czechoslovakia once again had a very strict and repressive government. This situation lasted for more than 20 years.

The photograph of the man before the tank on the streets of Bratislava became famous around the world, but Ladislav could never tell anyone that he was the one who took it. The regime would have punished him and so his heroic feat was only discovered after his death and after the collapse of the Iron Curtain.

ONCE ONLY A FEW SKILLED PEOPLE COULD TAKE PHOTOGRAPHS - NOW EVERYONE HAS A PHONE WITH A CAMERA. WHAT STORIES CAN YOU TELL WITH THE PHOTOS YOU TAKE?

ANASTASIA KUZMINA

...ZMENILA SVET TÝM, ŽE DOKÁZALA SPOJIŤ VRCHOLNÚ ŠPORTOVÚ KARIÉRU S MATERSTVOM

...HAS CHANGED THE WORLD BY SHOWING THAT A MOTHER CAN WIN OLYMPIC GOLD

TYUMEN, SOVIET UNION / 1984

Anastasia na narodila v Sovietskom zväze a Slovenkou sa stala naturalizáciou. To znamená, že imigrovala na Slovensko a až potom sa stala občiankou Slovenskej republiky.

Anastasia Kuzmina pochádza z rodiny športovcov a nie je ničím výnimočným, že úspechy rodičov motivujú ich deti. To bol aj prípad Anastasie, ktorá sa rozhodla ďalej kráčať v rodinných šľapajach.

Zimný šport sa stal jej osudom. Zbožňovala kĺzanie sa tichou zimnou krajinou od chvíle, kedy si po prvý raz pripla na nohy bežky. Hoci po rodičoch zdedila nadšenie pre šport, nepovažovali ju za talentovanú športovkyňu, lebo nenapredovala vo výsledkoch. Pre Anastasiu to znamenalo jediné - musela trénovať ešte tvrdšie. Napokon sa rozhodla pre biatlon.

V ceste na vrchol stálo mnoho prekážok. Športoví odborníci si mysleli, že nie je možné byť súčasne mamou i úspešnou športovkyňou. Aj dnes existujú krajiny, v ktorých to ctižiadostivé ženy nemajú ľahké.

Anastasia sa preto rozhodla odísť z Ruska. Spolu so synom pricestovala za manželom na Slovensko. Zaprisahala sa, že po materskej dovolenke sa opäť vráti k vrcholovému športu a dosiahne víťaznú medailu. Olympijské zlato už nebolo len vytúženým snom, ale reálnym cieľom. Anastasia túžila všetkým dokázať, že je možné mať oboje - rodinu a športovú kariéru.

Netrvalo dlho a začala znova trénovať. Vedenie slovenského biatlonu ponúklo Anastasii príležitosť reprezentovať novú domovinu na medzinárodných pretekoch, ak sa rýchlo zotaví. Anastasia získala slovenské občianstvo a rok po príchode po prvý raz pretekala pod národnou vlajkou Slovenska. Začala písať novú biatlonovú históriu krajiny.

Anastasia Kuzmina, Slovenka narodená v Rusku, sa stala prvou športovkyňou v histórii krajiny, ktorá zo zimných olympijských hier priviezla zlato. Slováci boli vo vytržení a Anastasia žiarila radosťou. Napriek všetkému si splnila sen o zlatej medaile.

Odvtedy táto športovkyňa získala pre Slovensko veľa cenných kovov a Slováci sú na ňu veľmi hrdí.

ANASTASIA SA NAUČILA TEXT SLOVENSKEJ HYMNY, ABY JU MOHLA ZASPIEVAŤ V PRÍPADE, ŽE VYHRÁ ZLATO NA OLYMPIJSKÝCH HRÁCH VO VANCOUVRI. POZNÁŠ SLOVÁ HYMNY?

MASHA DAMBAEVA

Anastasia was born in the Soviet Union and became Slovak by naturalisation. This means that she immigrated to Slovakia and chose to become a Slovak citizen.

Kuzmina comes from a family of athletes. As often happens, the successes of our parents inspire us to follow in their footsteps, and this is exactly what the young Anastasia did. Winter sports were her calling. From the first moment she strapped on cross country skis, she loved the sensation of gliding across the mountain in serene silence. She also enjoyed the focus of shooting at a target, so biathlon seemed to be made for her.

Anastasia was talented, but she did not have it easy. Some countries make it difficult for ambitious women to pursue their dreams. Pregnant with her first baby, Anastasia was forced to leave the Russian Olympic training team. They thought that becoming a mother would slow her down.

Anastasia was not one who gives up easily, she refused to accept that her hope to win the Olympic gold was over. Once she had no more tears to cry, she decided to make her dream happen anyway. She did not know how, but she believed in her talent. It must be possible to have both - a family and a career.

If Russia would not let her compete, then she would go somewhere else. Anastasia chose Slovakia. She arrived with her husband and son hoping to continue training and have a chance to represent a new homeland. Slovakia opened its door to the young family.

The Russian-born Slovak, Anastasia Kuzmina, became the first athlete to ever win a gold medal at the Winter Olympics for Slovakia. Slovaks were thrilled! Anastasia was glowing! Against all odds, she had reached for her dream and it came true.

Since then, Anastasia has claimed more precious medals to make her new home country proud, all while being together with her two children.

ANASTASIA LEARNT THE WORDS OF THE SLOVAK NATIONAL ANTHEM SO SHE COULD SING IT IF SHE WON A GOLD MEDAL IN VANCOUVER.
DO YOU KNOW THE WORDS OF THE SLOVAK ANTHEM?

...ZMENIL SVET TÝM, ŽE DOKÁZAL, ŽE VŠETKO JE MOŽNÉ

...HAS CHANGED THE WORLD BY SHOWING ANYTHING IS POSSIBLE

ŽILINA / 1990

Peter Sagan je jeden z najlepších cyklistov histórie. Keď zvíťazil na majstrovstvách sveta v cyklistike v roku 2017 v Nórsku, stal sa prvým cyklistom vôbec, ktorý získal prestížny titul tri razy za sebou.

Petrova športová kariéra sa začala v Žiline. Tvrdí, že k úspechu mu pomohlo detstvo strávené vonku. Peter sa s kamarátmi rád preháňal po miestnych kopcoch, lozil po stromoch a plával v jazerách. Vtedy prišiel na chuť dobrodružstvu. Nemal ani vlastný bicykel, ale to mu nebránilo, aby sa prihlásil do cyklistických súťaží. Preteky vyhrával na sestrinom bicykli.

Petrov talent pritiahol pozornosť a vyslúžil mu pozvanie do miestneho cyklistického klubu. Jeho otec ho povzbudzoval a vozil ho na súťaže po celej Európe. Ako devätnásťročný už bol Peter profesionál a bicykloval za taliansky tím, kde sa nestačili čudovať jeho nezvyčajnej telesnej kondícii, sile a vytrvalosti. Obdivovali jeho schopnosť zrýchliť v tej správnej chvíli, predbehnúť súperov a krkolomnou rýchlosťou uháňať k cieľu.

Peter Sagan je iný ako ostatní cyklisti. Tak ako ostatní, aj on tvrdo pracuje a trénuje, no navyše sa aj rád baví a žartuje s obecenstvom. Fanúšikovia milujú, keď na dôležitých pretekoch prešpurtuje do čela peletónu a prefrčí cieľovou líniou na jednom kolese. Vždy má čas na žart a na autogram - dokonca aj počas pretekov.

Hoci sa preslávil po celom svete a dobyl vrchol cyklistiky, nezabudol na svoje slovenské korene. Je hrdý na svoju krásnu krajinu a považuje za česť to, že ju môže reprezentovať na medzinárodných pretekoch. V Žiline založil Akadémiu Petra Sagana, aby sa odvďačil Slovensku a pomohol nádejným cyklistom na ceste za ich snom. Aby sa aj oni jedného dňa stali Super Slovákmi.

AKADÉMIA PETRA SAGANA VEDIE DETI A MLÁDEŽ KU ŠPORTU. ČO BY SI PRE SLOVENSKO MOHOL/MOHLA SPRAVIŤ TY?

MASHA DAMBAEVA

Peter Sagan is one of the greatest cyclists of all time. When he won first place at the 2017 World Championship in Norway, he became the first rider to win this elite road race three years in a row.

Peter's cycling career began in his home town of Žilina, and he believes the outdoor childhood he enjoyed there helped make him a winner. With his friends, Peter loved getting out into the local hills, climbing trees, swimming in lakes, and getting a taste for taking risks. He also started entering cycling competitions and, even though he didn't have all the right equipment, he could win races on a bike he borrowed from his sister.

Peter's talent was recognised and he joined a local cycling team. His father encouraged him and drove him all over Europe to compete in international events. By the age of 19, Peter had turned professional and was cycling for an Italian team. The medical team there were amazed at his physical strength and stamina. His ability to burst through the pack and sprint for the finishing line earned him the respect of his teammates.

Peter Sagan is not like other cyclists. He's a hard-working athlete and a great champion but he is also an entertainer and a joker who doesn't take himself too seriously. Fans love it when Peter storms to the front in the big races and they are thrilled when he pulls stunts like riding over the finishing line on one wheel. He's always got time for a joke with his supporters and even signs autographs for them while he's racing.

He's conquered the world of cycling, but Peter has never forgotten his Slovak roots. He is proud to come from such a beautiful homeland and to wear the national colours in international races. He wanted to give something back to Slovakia so, through the Peter Sagan Academy in Žilina, he has encouraged children to take up cycling and become the next generation of Super Slovaks.

PETER SAGAN'S ACADEMY HELPS CHILDREN GET INVOLVED IN SPORT. WHAT COULD YOU DO FOR SLOVAKIA?

POSLEDNÝ SUPER SLOVÁK SI
THE FINAL SUPER SLOVAK IS

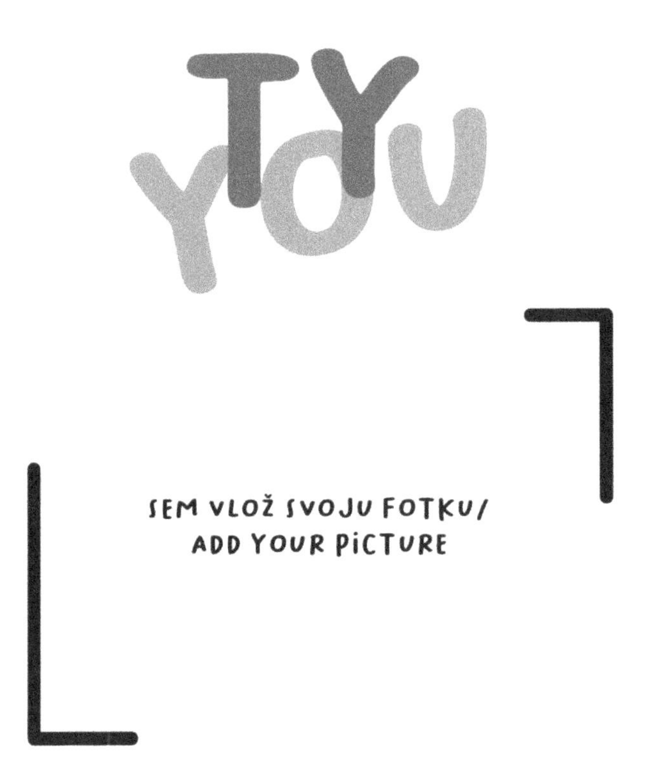

MENO / NAME:

NARODENÝ / BORN:

KTO JE TVOJ NAJOBĽÚBENEJŠÍ SUPER SLOVÁK?
WHO IS YOUR FAVOURITE SUPER SLOVAK?

. . . .
. . . .

AKO BY SI POMOHOL SLOVENSKU A SVETU?
HOW DO YOU WANT TO HELP SLOVAKIA AND THE WORLD?

. . . .
. . . .
. . . .

na ZÁVER

Dúfame, že sa ti táto kniha páčila, a že ťa príbehy Super Slovákov budú inšpirovať na ceste životom.

Ty si budúcnosť Slovenska. Aj ty máš príležitosť spraviť Slovensko lepším a vytvoriť svoj vlastný príbeh.

Si strojcom svojho osudu.

TÍM SUPER SLOVÁKOV :)

CLOSING

We hope you enjoyed reading this book. May these Super Slovak stories serve as an inspiration in your life in the years to come.

You are the future, and you have a chance to make Slovakia and the world a better place. Your story will be unique and special to you.

You are the creator of your destiny.

WITH JOY,
THE SUPER SLOVAKS TEAM :)

AUTHOR

ZUZANA PALOVIC, PHD.

Zuzana je dcérou slovenských emigrantov. Narodila sa v bývalom Československu, no jej rodičia sa rozhodli pre život ďaleko preč od krajiny s komunistickým zriadením. Stali sa z nich politickí utečenci a usadili sa v Kanade. Napriek tomu, že Zuzana vyrastala v novom svete ďaleko od Slovenska, nezabudla na svoje korene. Keď nastal čas, vrátila sa domov.

Odjakživa ju fascinoval svet, a preto sa ho rozhodla preskúmať. Žila v 10 krajinách na 4 kontinentoch a túto knihu napísala v ďalekej Indii!

Jej najväčšou túžbou je urobiť svet lepším tak, že bude povzbudzovať ľudí, aby nasledovali svoje sny. Zuzana je presvedčená, že každý z nás je strojcom svojho osudu, no zároveň si uvedomuje, že svet zmeníme k lepšiemu len spoločným úsilím. Naviac, tak je to oveľa zábavnejšie! Zuzana je zakladateľkou Global Slovakia O.Z. a autorkou štyroch kníh.

Zuzana is the daughter of Slovak emigrants. Born behind the Iron Curtain, her family fled the communist regime as political refugees to become naturalized citizens in Canada. She grew up in the 'New World', an ocean away from Slovakia, but she never forgot her roots. That is why Zuzana decided to return and make Slovakia her home.

Curious about the world, Zuzana spends much of her time discovering it. She has lived in 10 countries, across 4 continents and wrote much of this book in faraway India!

Her deepest desire is to make the world a better place by helping empower people from all walks of life to follow their dreams. Zuzana believes that every single person is a creator that holds their destiny in his or her hands. At the same she knows that it is only by working together that we can truly change the world for the better. It is also more fun that way!

Zuzana is the founder of the NGO Global Slovakia and a four-time published author.

AUTHOR

GABRIELA BEREGHÁZYOVÁ, PHD.

Gabriela sa narodila a vyrastala na Slovensku, kde navštevovala základnú a strednú školu a kde získala aj vysokoškolské vzdelanie. Po promócii sa rozhodla preskúmať svet. Žila a pracovala v rôznych krajinách Európy, Blízkeho východu a na každom kroku získavala cenné poznatky a skúsenosti.

Servírovala hamburgery, ustielala postele, pracovala i ako letuška, a tak sa naučila húževnatosti. Zároveň však spoznávala samu seba a zisťovala, čo rada robí a čomu sa chce v živote venovať. Jej láskou bolo získavanie nových poznatkov a vedomostí, a preto sa rozhodla ďalej študovať. Na prestížnych britských univerzitách získala dva magisterské tituly a štúdium zavŕšila doktorátom, počas ktorého sa venovala analýze korupcie.

Život v zahraničí bol síce vzrušujúci, ale Gabriele chýbalo Slovensko, a preto si zvolila návrat domov. Tu využíva svoje vedomosti a skúsenosti na to, aby Slovákom pomohla spoznať samých seba a ich výnimočnú krajinu.

Gabriela je autorkou dvoch bilingválnych kníh, riaditeľkou Global Slovakia O.Z. a neustále rozvíja vzdelávacie aktivity pre širokú slovenskú i zahraničnú verejnosť.

Gabriela was born and raised in Slovakia. This is where she attended primary school, as well as university. After she graduated, she decided to explore the world. Gabriela worked and lived across Europe and the Middle East gathering valuable knowledge, skills and experience along the way.

Flipping burgers, making beds and working as a flight attendant taught her to be resilient and helped her discover what she truly loved to do, which was learning. She continued her studies at prestigious universities in Great Britain where she gained two master's degrees and a PhD in the field of corruption.

However exciting life abroad was, Gabriela missed Slovakia and chose to return to her homeland to apply what she learnt abroad to help Slovaks appreciate who they are and how incredible their country is.

Gabriela is a published author of three bilingual books, the co-director of the NGO Global Slovakia and is active in promoting Slovakia abroad and educating Slovak civil society at home.

AUTHOR

DAVID KEYS

David je učiteľ a spisovateľ pochádzajúci z Londýna. Na Slovensko po prvýkrát prišiel v roku 1995, kedy začínal s vyučovaním angličtiny v Žiari nad Hronom. V neskorších rokoch pracoval v Turecku, Saudskej Arábii i Veľkej Británii. V roku 2006 sa opäť vrátil na Slovensko a začal učiť dejepis na Britskej medzinárodnej škole (BIS) v Bratislave. Napísal niekoľko učebníc pre medzinárodný diplomovaný program International Baccalaureate, v ktorých sa zameral na modernú európsku históriu. David a jeho žena Sarah žijú s dvoma deťmi v Bratislave. Vštepili im lásku ku kultúre, ľuďom a prírode Slovenska. Už niekoľko rokov trávia letá spoznávaním jednotlivých úsekov Cesty hrdinov SNP a dúfajú, že túto turistickú magistrálu čoskoro zdolajú. Naviac sa David teší na deň, kedy sa klub FC Petržalka vráti do vrcholovej slovenskej futbalovej ligy.

David Keys is a teacher and writer from London, UK. He first came to Slovakia in 1995, to teach English in Žiar nad Hronom. He also worked in Turkey, Saudi Arabia, and the UK before returning to Slovakia in 2006 to teach history at the British International School Bratislava. He has written several text books for the International Baccalaureate Diploma Programme with a focus on modern European history. David and his wife Sarah live in Bratislava where they have brought up their two children to share their love of Slovakia's culture, people, and outstanding natural beauty. They have spent their summers walking sections of the Cesta Hrdinov SNP long distance footpath and hope to complete it some day soon. David also looks forward to the day that FC Petržalka return to their rightful place at the top of Slovak football.

Tento projekt sa uskutočnil vďaka podpore našich partnerov, mentorov a priateľov. Ľudia, ktorí vidia prínos a hodnotu našej práce, sa stali dôležitou súčasťou knihy a jej realizácie.

Týmto sa chceme poďakovať štedrým mecenášom Borisovi Fuggerovi, Dr. Antonovi Zajacovi, Petrovi Šťastnému a Michaelovi Jacobsenovi za finančnú podporu a dôveru.

Zároveň ďakujeme profesorom Michaelovi Kopanicovi a Johnovi Palkovi, Michalovi Salínimu, Marekovi Križanovi, Naomi Hužovičovej a Sarah Keys za čas, energiu, vedomosti a rady, ktoré vložili do projektu Super Slováci/ Super Slovaks.

ĎAKUJEME!

It would not have been possible to create this book without the support of our mentors, patrons and friends. We are privileged to cooperate with individuals who see the value of our work and mission, and who generously contributed to this project to help make it happen.

We would like to extend a sincere thank you to Boris Fugger, Dr. Anton Zajac, Peter Stastny, Michael Jacobsen for their generous financial support. We would also like to extend a warm thank you to Professor Michael Kopanic, Professor John Palka, Michal Salini, Marek Križan, Naomi Huzovicova and Sarah Keys for their time, energy, knowledge and skills.

THANK YOU!

THANKS TO

Cedar Rapids, Iowa 52404
NCSML.org

The NCSML preserves, presents and transcends unique stories of Czech and Slovak history and culture through innovative experiences and active engagement to reach cross-cultural audiences locally, nationally and internationally. The NCSML is an innovative leader in lifelong learning, community building and cultural connections. We encourage self-discovery for all ages so that the stories of freedom, identity, family and community will live on for future generations.

THANKS TO

www.bis.sk

The British International School Bratislava is the largest international school in Bratislava with excellent teaching professionals, high academic standards, a family atmosphere and an environment that inspires children to learn. BISB students follow the English National Curriculum, followed by the Cambridge International Examinations IGCSE and the International Baccalaureate Diploma Program. BISB provides a supportive learning environment in which students can discover a world of opportunities. In collaboration with The Juilliard School, MIT and Unicef BISB enables students to excel academically, socially, personally, and apply to study at the world's best universities.

THANKS TO

www.SlovakAmericanCC.org

The Slovak-American Cultural Center (S-ACC) was founded in 1967 in New York City as a not-for-profit organization to preserve Slovak heritage in the United States through the promotion of Slovak cultural, educational, scientific, and athletic activities.

S-ACC's founders were Slovaks who immigrated to the U.S. to escape the communist regime of post-WWII Czechoslovakia. Many of them settled in the New York metropolitan area and initiated a rich program of lectures, concerts, exhibitions, and other cultural events which continue to the present day. In addition to organizing cultural events, S-ACC awards scholarships to promote the study of Slovak language & culture and publishes books and periodicals on Slovak topics. For almost thirty years, S-ACC has organized The Slovak Ball, an annual winter gala celebrating the Slovak community in the U.S. S-ACC relies exclusively on volunteers, fundraising, and donations to implement its mission.

THANKS TO

SLOVAK AMERICAN SOCIETY OF WASHINGTON D.C.

www.dcslovaks.org

The Slovak American Society of Washington, D.C. is a nonprofit 501(c)(3) organization that promotes Slovak culture and history, and fosters fellowship among those who are of Slovak heritage or who have an interest in Slovakia.

We host numerous educational, cultural, and social events to bring together those interested in maintaining a connection to Slovakia and actively support initiatives to promote freedom, democracy, and prosperity in Slovakia.

THANKS TO

www.fcsu.com

The First Catholic Slovak Union of The United States of America and Canada (FCSU) is a non-profit fraternal organization headquartered in Independence, OH, USA. Founded in Cleveland in 1890 by 11 Slovak immigrants with the guidance of the Slovak immigrant priest the Rev. Štefan Furdek, the FCSU is also often called "Jednota" which in Slovak means "Union." This is the same name as its bilingual newspaper that has been published virtually throughout its history until today. During the communist era, the Jednota Press was one of the few places in the world that printed Slovak Catholic literature. The FCSU's original purpose was to help to immigrant Slovaks deepen their religious faith, protect their language and heritage, and provide an insurance fund for those working in and near Cleveland's dangerous factories. Today the FCSU offers very competitive annuities, wealth transfer, and life insurance products and services to 50,000+ members in communities throughout North America, and continues to support fraternal activities and events that preserve shared values of faith, family and heritage. More complete information can be found at www.fcsu.com.

THANKS TO

https://bratislava.qsi.org

QSI International School of Bratislava opened in September 1994 as a private, nonprofit school offering a full educational program in the English language to students in the Early Childhood Program through Secondary graduation. The student body currently represents over 30 nations from the diplomatic community, the international business community, the greater international community and Slovak families. Students graduate fully prepared to attend colleges and universities in the United States, Canada, the United Kingdom, continental Europe, and other countries across the globe.

BY THE SAME AUTHORS

SLOVAKIA: THE LEGEND OF THE LINDEN

This book takes you on an emotional journey deep into the Slovak and Slavic inner world. Follow the trail that opens your eyes to the magical realm guarded by the Linden tree and its sacred heart-shaped leaf. It is a code that carries the story of the people born at the crossroads of worlds.

www.globalslovakia.com

SLOVENSKO: LEGENDA LIPY

Táto kniha pozýva na sentimentálnu cestu do hĺbky slovenskej a slovanskej duše. Otvára chodníček do čarovného sveta, ktorého vstup chráni lipa. Jej posvätný srdcovitý list je šifrou nesúcou príbeh ľudí, ktorí sa zrodili na križovatke svetov.

www.globalslovakia.com

THE GREAT RETURN

In the beginning of the 21st century, Europe opened its borders to the countries from behind the Iron Curtain. Since then, over 100 million citizens, including Slovaks, gained the freedom to move West without a visa. Now, a decade after the East- West exodus, our pioneers are returning home.

Telling the stories of international Slovaks who left, learned and returned, 58 voices including government, business and society share their views on the transformation of a nation. The 59th voice is that of the author, who reveals a personal tale of loss, lessons and reconnection through a rite of passage shared by millions of people across the planet.

Time-travellers to culture-shifters, Slovakia's lost daughters and sons come home, proving that return is not just a possibility, but an opportunity.

Available on amazon

www.globalslovakia.com

VEĽKÝ NÁVRAT

Na začiatku 21. storočia otvorila Európa svoje hranice krajinám spoza bývalej železnej opony. Víza na západ sa stali minulosťou a viac ako 100 miliónov občanov vrátane Slovákov získalo slobodu pohybu. Po viac ako dekáde hromadných odchodov sa mnoho priekopníkov vracia zo západu domov.

Táto kniha prináša 58 hlasov z politiky, biznisu a spoločenských organizácií. Medzinárodní Slováci, ktorí odišli, spoznali a prišli späť, sa delia o svoje pohľady na prerod svojho národa. Päťdesiaty deviaty hlas patrí samotnej autorke. Odhaľuje podmanivý osobný príbeh straty, uvedomenia a znovu nájdenia.

Dnes sa stratené dcéry a synovia Slovenska vracajú domov. Sú cestovateľmi v čase a nositeľmi zmien. Dokazujú, že návrat nie je len možnosťou, ale i nesmiernou príležitosťou.

www.globalslovakia.com

CZECHOSLOVAKIA: BEHIND THE IRON CURTAIN

Take a journey into the borderland of the Red Empire, during an ideological battle that saw the world ripped in half. Dare to step into communist Czechoslovakia, where the controlled 'East' and the free 'West' converged at their closest.

This is a story of ordinary people caught up in the midst of the 20th century's greatest political experiment. Through tales only told in whispers, glimpse into the everyday reality of those whose entire universe was ruled by the Hammer and Sickle.

Available on amazon

www.globalslovakia.com

ČESKOSLOVENSKO ZA ŽELEZNOU OPONOU

Preneste sa na pomedzie Červenej ríše v čase ideologickej vojny, ktorá rozštiepila svet vo dvoje. Odvážte sa vstúpiť na pôdu socialistického Československa. Práve tu sa komunistický Východ a slobodný Západ ocitli nebezpečne blízko seba.

Toto je príbeh obyčajných ľudí, ktorí sa zachytili do siete najväčšieho politického experimentu 20-teho storočia. To, o čom píše táto kniha si mohli len šepkať. Nahliadnite do denno-dennej reality tých, ktorých svet sa točil okolo nekompromisnej vlády kladiva a kosáka.

www.globalslovakia.com

1 5 8 12 16 49
ČESKÁ REPUBLIKA/
CZECH REPUBLIC
RAKÚSKO / AUSTRIA
ŽILINA
50
BYTČA
47
9
25
POVAŽSKÁ BYSTRICA
39
MARTIN
26
TRENČÍN
NOVÉ MESTO NAD VÁHOM
18 20
44
21
33
19 40
17
30
PRIEVIDZA
BANSKÁ BYSTRICA
32 38
PARTIZÁNSKE
31
15
TOPOĽČANY
ŽIAR NAD HRONOM
ZVOLEN
43
7
27
PIEŠŤANY
MALACKY
6
29
PEZINOK
TRNAVA
41
SEREĎ
NITRA
4
KRUPINA
LEVICE
48
VEĽKÝ KRTÍŠ
2 · 14
22 · 34 · 36
45 · 46
BRATISLAVA
10
ŠAĽA
NOVÉ ZÁMKY
11
KOLÁROVO
KOMÁRNO

POĽSKO/
POLAND

MAĎARSKO/
HUNGARY